D0247017

LES GROS RIGOLOS

TOUT PLEIN D'ATELIERS

pour cuisiner toute l'année

Conceptique graphique : Maryse Bonnet
Mise en page : Di-One
Photogravure : Peggy Huynh Quan Suu
Suivi éditorial : Gracieuse Licari

Dépôt légal : janvier 2007
ISBN : 978-2-84567-363-2
Imprimé en Espagne

LES GROS RIGOLOS

TOUT PLEIN D'ATELIERS

pour cuisiner toute l'année

Stéphanie de Turckheim

Tana
éditions

Introduction

Voici plein d'idées d'ateliers de cuisine
pour réaliser tout au long de l'année,
à partir de recettes simples, inventives
et rigolotes, des jeux, des décorations,
des gourmandises, des cadeaux...
Les enfants découvriront de façon ludique
une éducation du goût, le respect
du rythme des saisons, le sens des fêtes
religieuses ou profanes qui ponctuent
l'année et la vie, le souvenir des traditions
qui les lient à leurs aînés.
Avec les moyens du bord, un peu de fantaisie
et d'astuce, vous réaliserez facilement
les idées proposées. Présentez
les réalisations sur de jolies assiettes,
des plats et des papiers de couleur !

Pâtes et mélanges de base

Pâte au beurre aromatisée au citron

Texture très souple à utiliser rapidement sans trop malaxer.

- **400G DE FARINE AUTOLEVANTE**
- **200G DE BEURRE MOU**
- **120G DE SUCRE EN POUDRE**
- **2ŒUFS À TEMPÉRATURE AMBIANTE**
- **2JAUNES D'ŒUFS POUR DORER**
- **1ZESTE DE CITRON**
- **1PINCÉE DE SEL**

Mets la farine dans un grand saladier et fais un puit afin d'y mettre le beurre mou coupé en morceaux, le sucre, les œufs, le zeste de citron et le sel. Mélange bien afin d'obtenir une pâte bien homogène.

Étale la pâte au rouleau sur 4 mm d'épaisseur et découpe à l'emporte-pièce des formes diverses.
Dore au jaune d'œuf.

Fais cuire au four à 160 °C pendant une dizaine de minutes.

Pâte sucrée :

- 275G DE FARINE
- 125G DE BEURRE
- 75G DE SUCRE EN POUDRE
- 1ŒUF ENTIER
- 1 PINCÉE DE SEL

Mets la farine dans un grand saladier et fais un puit afin d'y mettre le beurre mou coupé en morceaux, le sucre, les œufs, le zeste de citron et le sel. Mélange bien afin d'obtenir une pâte bien homogène.

Étale la pâte au rouleau sur 4 mm d'épaisseur.

Fais cuire au four à 160 °C pendant une dizaine de minutes.

Pâte brisures de gâteau et beurre

- 250G DE BRISURES DE SABLÉS À LA NOISETTE, DE PETITS-BEURRE, DE BISCUITS ROSES...
- 80G DE BEURRE FONDU
- 1 ZESTE DE CITRON RÂPÉ

OU

- 250G DE BISCUITS COMPLETS ÉMIETTÉS
- 125G DE BEURRE FONDU
- 1C. À C. DE CANNELLE EN POUDRE

Mélange les biscuits émiettés avec le beurre et le zeste de citron ou la cannelle en poudre. Répartis uniformément dans un moule (sur du papier sulfurisé si tu veux).

Laisse au frais pendant une trentaine de minutes jusqu'à ce que ce soit bien ferme.

Pâte des sablés à l'emporte-pièce

- **250G DE BEURRE RAMOLLI**
- **250G DE SUCRE EN POUDRE**
- **2 ŒUFS**
- **SUCRE VANILLÉ**
- **500G DE FARINE**
- **1 JAUNE POUR DORER**

Mélange le beurre et le sucre dans un saladier puis rajoute les œufs et le sucre vanillé. Ajoute progressivement la farine.
Roule en boule et laisse au frais pendant 4 h.

Étale la pâte au rouleau sur 4 mm d'épaisseur et découpe à l'emporte-pièce des formes diverses.
Dore au jaune d'œuf.

Fais cuire au four à 200 °C pendant 10 min environ.

Glaçages

Au chocolat

- 100G DE CHOCOLAT
- 50G DE SUCRE GLACE
- 50G DE BEURRE

Fais fondre le chocolat au bain-marie. Ajoute le beurre puis le sucre glace en mélangeant vivement. Utilise immédiatement.

Au citron ou à l'orange

- 250G DE SUCRE GLACE
- 4C. À S. DE JUS DE CITRON OU DE JUS D'ORANGE

Mélange les ingrédients jusqu'à l'obtention d'une masse lisse et épaisse.

Aux fruits

- 250G DE SUCRE GLACE
- 4C. À S. DE SIROP DE FRUIT

Mélange les ingrédients jusqu'à l'obtention d'une masse lisse et épaisse.

Coulis de fruits rouges

Fraises

- 250G DE FRAISES
- 100G DE SUCRE
- LE JUS DE 1 CITRON

Passe le tout au mixeur.

Framboises

- 250G DE FRAMBOISES
- 100G DE SUCRE
- LE JUS DE 1CITRON

Passe le tout au mixeur.

Petites listes utiles

Petite liste du placard idéal

Farine
Farine avec levure
Sucre blanc
Sucre roux
Sucre à la vanille maison (1 kg de sucre + 3 gousses de vanille)
Sucre à la cannelle maison (1 kg de sucre + 3 grands bâtonnets de cannelle)
Chocolat en plaque, en pépites et en poudre
Eau de fleur d'oranger
Amandes amères
Citron, orange, gingembre
Cubes de fruits confits
Pâte d'amandes
Lait concentré sucré
Crème de marrons
Fruits secs de toutes sortes :
Noix entières et en poudre
Noix de pécan
Noisettes entières et en poudre
Amandes : entières, en poudre, effilées
Noix de coco
Pistaches
Raisins secs : blonds, bruns

Petite liste du réfrigérateur

Lait
Crème fleurette et liquide
Beurre doux
Œufs
Pâtes : feuilletée, brisée, sablée, à pizza

Petite liste de la boîte à décors

Confettis de couleur
Vermicelles au chocolat et de couleur
Sucre de couleur
Billes argentées
Colorants alimentaires
Bonbons : Smarties
Tubes de glaçage
Bougies
À l'approche des fêtes, on trouve des petites décorations dans toutes les grandes surfaces.

Petite liste des ustensiles

Minirâpe
Cuillère en bois
Cuillère pour racler
Rouleau à pâtisserie
Fouet
Passoire
Pinceau
Pilon
Couteau
Emporte-pièce
Casseroles à mesures ou verre gradué
Moules à tartelettes
Moule à tarte
Moule à cake
Petits moules de formes diverses : sapins, cœurs....
Moules en silicone
Moules en papier
Caissettes en papier
Grille
Feuille de cuisson en silicone
Papier sulfurisé

Petite liste de récup au quotidien

Barquettes de fruits en papier ou en bois
Pots en verre
Papier de soie
Fleurs à sécher
Raphia
Jolis sachets ou emballages
Rubans, bolduc, ficelle
Boîtes de chocolats
Petites boîtes en carton

Petite liste de conseils

Prépare tous les ingrédients et tout le matériel avant de commencer
Pour la pâtisserie, les œufs doivent être de préférence à température ambiante
Allume le four en début d'atelier car le four doit être chaud quand tu enfourneras
Porte des gants bien isolants et non pas des chiffons pour éviter de te brûler
Quand tu utilises un appareil électrique, débranche-le quand tu as fini
Quand tu coupes un fruit ou un légume, mets tes doigts à l'opposé de la lame de ton couteau
Fais toujours refroidir les gâteaux, les tartes... sur une grille
Évite de déguster trop chaud

Lave-toi les mains au savon avant de commencer à cuisiner !

Lexique

ABAISSE : morceau de pâte que l'on a étendu avec un rouleau de façon à lui donner l'épaisseur voulue.

APPAREIL : préparation ou mélange comportant divers ingrédients.

BAIN-MARIE : récipient contenant de l'eau très chaude dans lequel on place un autre récipient contenant une préparation ou des ingrédients. Cela permet de faire fondre du chocolat ou de tenir au chaud une préparation.

BEURRER : enduire de beurre une plaque, un moule à gâteaux, à tarte... afin de faciliter le démoulage et éviter que cela n'attache ou ne brûle.

BOUQUET GARNI : herbes ou plantes aromatiques misent ensemble.

CHEMISER : recouvrir le fond ou les parois d'un moule.

CHINOIS : passoire à fond pointu.

CONCASSER : casser ou couper grossièrement.

DRESSER : disposer joliment une préparation sur un plat.

DORER : étendre de la dorure ou du jaune d'œuf au pinceau.

DOUILLE : petit entonnoir qui se met au bout d'une poche à pâtisserie. Les douilles ont diverses formes.

ÉMINCER : couper en tranches fines.

ÉMONDER : enlever la peau de l'amande après l'avoir passée sous l'eau chaude.

FARINER : rouler dans la farine.

FONCER : garnir avec une abaisse de pâte.

FONTAINE : farine disposée en rond ou en couronne.

MONTER : battre une préparation afin qu'elle augmente ou double de volume.

TAMISER : passer à travers un tamis ou une passoire.

ZESTE : partie extérieure de l'écorce de l'orange ou du citron.

ZESTER : enlever le zeste.

Sommaire

L'atelier de l'automne 16

L'atelier de l'hiver 62

L'atelier du printemps 106

L'atelier de l'été 148

Carnets à croquer 18
Voyelles 20
Dominos 22
Barres pour le goûter 24
Pommes au four 26
Châtaignes et marrons en chocolat 28
Champignons en pâte d'amandes 30
Chaussons à la pomme et à la cannelle 32
Minifondants chocolat et noix 34
Gentils monstres ! 36
Couronnes de l'Avent 38
Petits gâteaux à la cannelle 40
Pâte à la cannelle 42
Décors cœurs et étoiles 44
Décors boules de Noël 46
Croquets 48
Sandwichs de fête 50
Truffes blanches 52
Mendiants 54
Truffes croustillantes 56
Fruits déguisés 58
Brioches de la Saint-Nicolas 60

LES ATELIERS DE L'AUTOMNE

Carnets à croquer

**C'EST LE TEMPS DE LA RENTRÉE...
APRÈS AVOIR ACHETÉ TOUTES TES FOURNITURES SCOLAIRES, CONFECTIONNE DES PETITS CARNETS.
PARFUME LA PÂTE AVEC DU SUCRE VANILLÉ.**

Ingrédients

- 1 PÂTE BRISÉE
- FEUILLES DE PAIN AZYME
- 1 JAUNE D'ŒUF
- 1 SACHET DE SUCRE VANILLÉ
- FIL DE RÉGLISSE
- GLAÇAGES EN TUBE

Matériel

- 1 COUTEAU À BOUT ROND
- 1 FEUILLE DE PAPIER SULFURISÉ
- 1 PINCEAU OU 1 CUILLÈRE
- 1 PAILLE
- CISEAUX

Conseil : pour réaliser les carnets, retourne le côté où tu as mis le jaune d'œuf et le sucre car il sera moins lisse et moins joli pour écrire dessus.

Conseil : tu peux rajouter du jaune d'œuf et de la vanille pour parfumer la pâte et la rendre bien croquante.

Déroule la pâte et place dessus une feuille de pain azyme que tu auras découpée. Découpe la pâte à l'aide du couteau à bout rond en suivant les contours de la feuille.

Dépose la pâte sur la feuille de papier sulfurisé et badigeonne de jaune d'œuf à l'aide du pinceau ou de la cuillère.

Fais deux petits trous sur un côté à l'aide de la paille.

Saupoudre de sucre vanillé et fais cuire au four à 160 °C pendant 15 min.

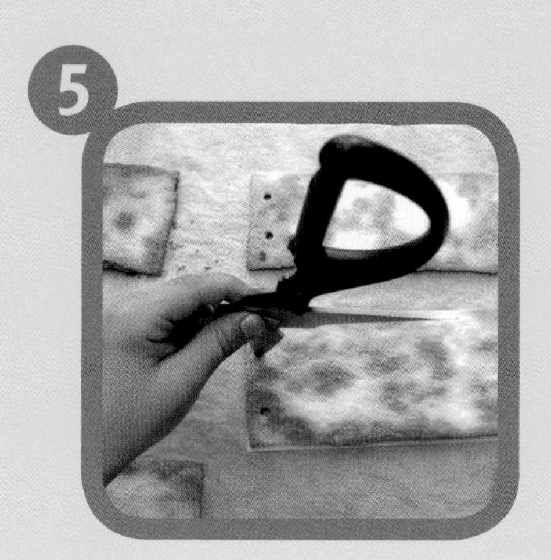

Attends que cela refroidisse et fais des trous à l'aide de la pointe des ciseaux dans les feuilles de pain azyme.

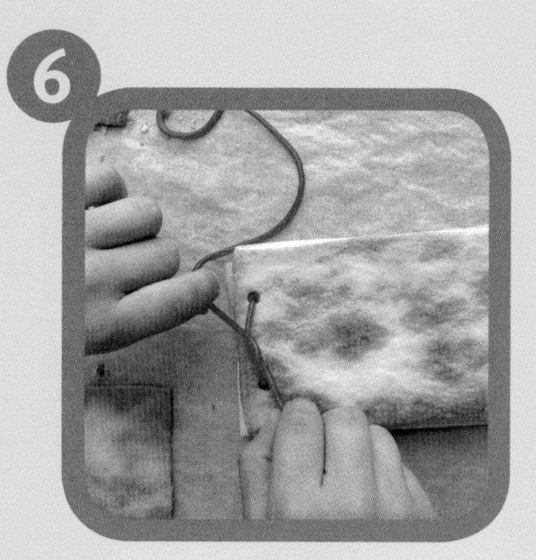

Enfile le fil de réglisse en commençant par 1 plaque de biscuit que tu auras retournée puis 2 feuilles et à nouveau 1 plaque de biscuit. Fais un nœud. Écris ce que tu veux avec le glaçage en tube.

Voyelles

Ingrédients

- 1 PÂTE BRISÉE
- 5 SUCRES DE COULEUR

Matériel

- 1 COUTEAU À BOUT ROND
- 1 FEUILLE DE PAPIER SULFURISÉ
- LETTRES OU MODÈLES DE LETTRES (LIVRES, CAHIERS D'ÉCRITURE...)

C'EST LA RENTRÉE DES CLASSES... APRÈS AVOIR ÉCRIT DES LIGNES DE LETTRES, VOICI LES VOYELLES EN LETTRES MAJUSCULES : A-E-I-O-U. UTILISE UNE COULEUR PAR LETTRE ET JOUE À ÉCRIRE DES MOTS :

A : ARBRE, AVION, ARAIGNÉE, AGNEAU, ÂNE, ANTOINE...

E : ÉLÉPHANT, EDGAR, EURO, ÉCHELLE...

I : IGUANE, ITALIE, IGLOO, ISABELLE...

O : OREILLE, ŒIL, OURSIN, OSCAR...

U : URSULE, UNIVERS, UNIFORME, USTENSILE...

1

Déroule la pâte et place tes lettres dessus.

2

Découpe tout autour à l'aide du couteau à bout rond.

3

Détache doucement les lettres.

4

Mets-les dans ta main et dépose-les sur la feuille de papier sulfurisé.

Conseil : utilise la pâte au beurre ou à la cannelle et étale-la sur une épaisseur de 0,5 cm. Ce sera plus facile pour découper les lettres.

5

Décore chaque lettre d'une couleur de sucre différente. Fais cuire au four à 160 °C pendant une dizaine de minutes.

Dominos

**POUR RECONSTITUER UN VRAI JEU DE DOMINOS,
IL TE FAUDRA FAIRE 28 PETITES PLAQUES.
RÉFLÉCHIS BIEN AUX CHIFFRES QUE TU VAS METTRE.
INVENTE UNE RÈGLE OU JOUE DE FAÇON TRADITIONNELLE
LE GAGNANT AURA-T-IL LE DROIT DE TOUT MANGER ?**

Ingrédients

- 350G DE NOIX DE COCO RÂPÉE
- 500G DE SUCRE GLACE
- 400G DE LAIT CONCENTRÉ SUCRÉ
- CONFETTIS DE COULEUR

Matériel

- 1 BOL
- 1 CUILLÈRE

1

Mets la noix de coco dans le bol et ajoute le sucre glace.

2

Mélange.

Idée : ordonne tes chiffres par couleurs : bleu = 1, rose = 2, jaune = 3, orange = 4 ,violet = 5, vert = 6.

3

Ajoute
le lait
concentré
sucré
petit à petit
et mélange
bien.

4

Façonne
des petites
plaques.

5

À l'aide
du côté
de la cuillère,
fais une marque
pour diviser
en deux parties.

6

Ajoute
les
confettis.

Barres pour le goûter

C'EST UN VRAI PLAISIR DE PRÉPARER SON GOÛTER SOI-MÊME. TOUT D'ABORD PARCE QUE TU POURRAS RAJOUTER LES INGRÉDIENTS QUE TU AIMES, PUIS POUR MONTRER À TES COPAINS DE CLASSE QUE LES BARRES, TOI, TU SAIS LES FAIRE !

Ingrédients

- 150 G DE PIGNONS, DE RAISINS, D'AMANDES, DE NOIX, DE NOISETTES, DE NOIX DE COCO
- 4 C. À S. DE FARINE
- 1 C. À S. DE SUCRE ROUX
- 2 C. À S. D'HUILE D'OLIVE

Matériel

- 1 BOL
- 1 PILON
- 1 FEUILLE DE PAPIER SULFURISÉ
- 1 COUTEAU À BOUT ROND

Conseil : range tes barres dans une boîte bien hermétique pour éviter qu'elles ne ramollissent avec l'humidité.

Variantes pour les fans de chocolat : n'hésite surtout pas à rajouter des pépites de chocolat blanc, au lait ou noir. Tu peux aussi tremper la moitié des barres dans du chocolat fondu.

Verse les fruits secs et la farine dans le bol et, avec le pilon, broie-les grossièrement.

Ajoute le sucre et mélange bien.

Ajoute 3 c. à s. d'eau et l'huile.

Ajoute enfin les raisins secs. Mélange le tout en soulevant la pâte.

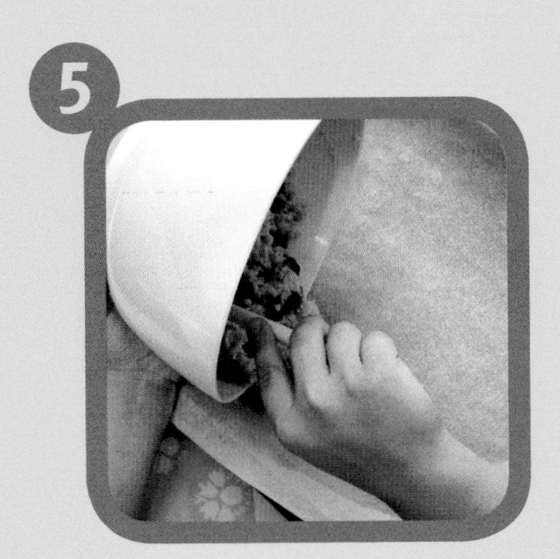

Verse ce mélange de consistance pâteuse sur la feuille de papier sulfurisé et, à l'aide du couteau, redresse les côtés pour former un carré ou un rectangle.

Découpe des petites tranches rectangulaires et fais cuire au four à 180 °C de 10 à 15 min. Attends qu'elles soient refroidies pour les déguster.

Pommes au four

CE DESSERT EST UN CLASSIQUE, MAIS IL EST VRAIMENT TRÈS BON. DE PLUS, TU SAIS BIEN QUE PERSONNE NE LE FAIT DE LA MÊME FAÇON. VOICI TA RECETTE. MAIS AU FAIT, SAIS-TU TE SERVIR D'UN VIDE-POMME ?

Ingrédients

- 2 POMMES
- 1/2 CITRON
- 1 C. À S. DE RAISINS SECS
- 1 C. À S. DE MIEL
- 1 C. À S. DE CANNELLE EN POUDRE
- 25 G D'AMANDES EFFILÉES
- 25 G DE BEURRE

Matériel

- 1 VIDE-POMME
- 1 COUTEAU
- 1 PLAT À FOUR

1

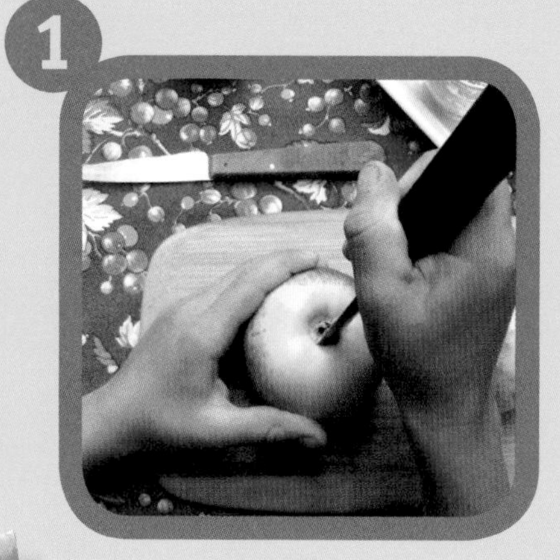

Vide l'intérieur des pommes à l'aide du vide-pomme.

2

Découpe le haut des pommes au couteau.

3

Place les pommes dans un plat à four.
Presse le jus du demi-citron.

4

Ajoute les raisins secs.

5

Ajoute le miel et la cannelle.

6

Décore avec les amandes effilées et fais cuire dans un plat au four à 160 °C pendant 30 min.

Variante :
tu peux les faire à la confiture de groseilles.

Châtaignes et marrons au chocolat

ADMIRE L'AUTOMNE ET SA NATURE, PLEINE DE COULEURS, DE FRUITS DIFFÉRENTS.... ESSAIE DE MODELER DES CHÂTAIGNES ET DES MARRONS AVEC CETTE PÂTE À BASE DE MADELEINES, DE POUDRE D'AMANDES ET DE CHOCOLAT.

Ingrédients

- 8 MADELEINES
- 125G DE POUDRE D'AMANDES
- 50G DE CHOCOLAT NOIR EN POUDRE
- 1 GROS ŒUF FRAIS OU 2 PETITS
- 3 C. À S. DE SIROP DE VANILLE OU D'EAU DE FLEUR D'ORANGER
- PÉPITES DE CHOCOLAT
- SEL

Matériel

- 1 MIXEUR
- 1 BOL
- 1 BATTEUR
- 1 CUILLÈRE EN BOIS

1

Mets les madeleines dans la cuve du mixeur et ajoute les amandes et le chocolat. Mixe pendant 5 min.

2

Retire la cuve du mixeur. Tu a obtenu une poudre fine.

Conseil : dispose les châtaignes et les marrons sur une planche avec quelques feuilles.

3

Casse l'œuf et sépare le blanc du jaune dans le bol. Ajoute 1 pincée de sel dans le blanc et monte-le en neige au batteur.

4

Ajoute le mélange amandes-madeleines-chocolat et mélange bien à la cuillère.

5

Pour que la pâte colle un peu, ajoute le sirop de vanille ou l'eau de fleur d'oranger.

6

Forme des petites boules, ajoutes des pépites de chocolat puis donne-leur la forme de châtaignes et de marrons.

Champignons en pâte d'amandes

Ingrédients

- 3 MORCEAUX DE PÂTE D'AMANDES DE COULEURS DIFFÉRENTES

Matériel

- 1 ASSIETTE

POUR CET ATELIER, IL TE FAUDRA UN PEU D'ADRESSE. LA PÂTE D'AMANDES S'UTILISE ICI COMME DE LA PÂTE À MODELER.

1

Prends un morceau de pâte d'amandes et ramollis-le dans tes mains en le malaxant. Essaie de former un pied de champignon.

2

Remonte
la pâte vers
le haut
pour faire
un chapeau.

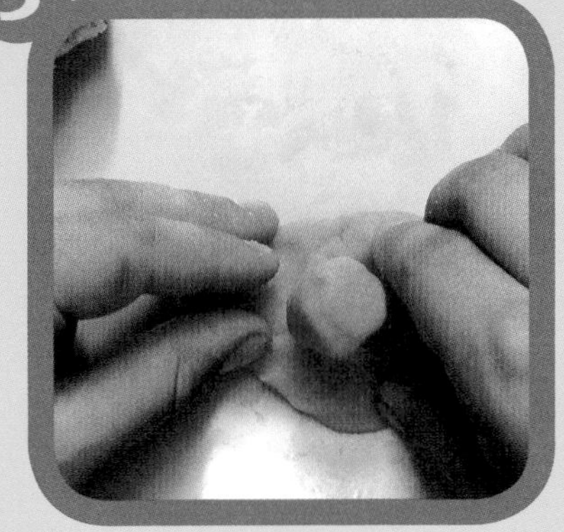

3

Aplatis
le chapeau
sur
l'assiette.

4

Ajoute
des petits
morceaux
d'une autre
couleur
pour faire
des points.

Idée :
tu pourras décorer
un dessert avec
ces petits
champignons.

5

Utilise
toutes les
couleurs pour
faire d'autres
champignons.

Chaussons à la pomme et à la cannelle

PETITS FEUILLETÉS MOELLEUX À LA POMME ET AUX AMANDES, PARFUMÉS À LA CANNELLE. APPRENDS À SOUDER OU À COLLER DE LA PÂTE AVEC DU JAUNE D'ŒUF. UN JEU D'ENFANT !

Ingrédients

- 3 POMMES
- 1 SACHET DE SUCRE VANILLÉ
- LE JUS DE 1 CITRON
- 50 G D'AMANDES EFFILÉES
- CANNELLE EN POUDRE
- 20 G DE BEURRE
- 1 PÂTE FEUILLETÉE
- 1 JAUNE D'ŒUF

Matériel

- 1 COUTEAU
- 1 PINCEAU
- 1 ASSIETTE
- 1 FEUILLE DE PAPIER SULFURISÉ
- 1 PLAQUE À FOUR

Variante : ajoute des raisins secs dans ton appareil et tu obtiendras un genre de strudel.

1

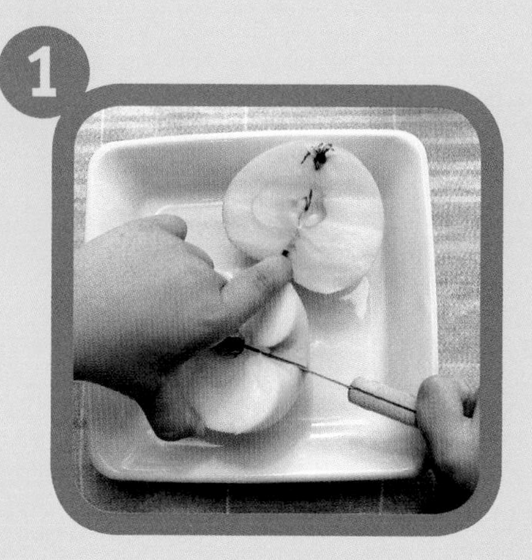

Découpe les pommes en deux puis en quatre.
Le couteau se place toujours
à l'opposé des doigts !

2

Pèle les quartiers de pomme
et détaille-les en petits morceaux.

3

Ajoute le sucre vanillé, le jus de citron,
25 g d'amandes effilées, la cannelle
et le beurre. Mélange bien.

4

Découpe la pâte en trois bandes égales.
Dépose au milieu de chaque bande
de 3 à 4 c. à s. de ton appareil.

5

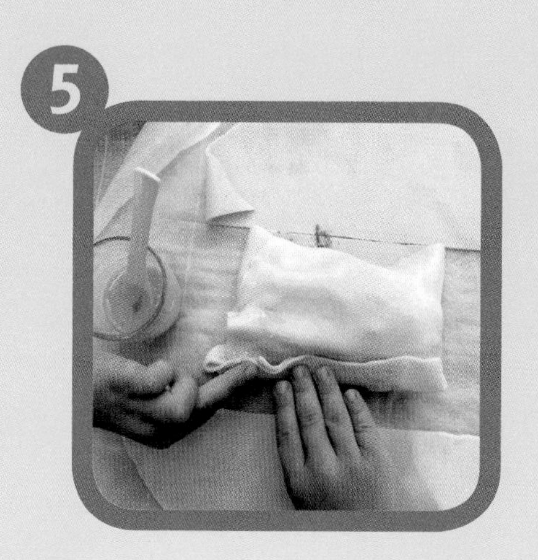

Replie la pâte vers le milieu.
Colle les côtés que tu souderas
au jaune d'œuf.

6

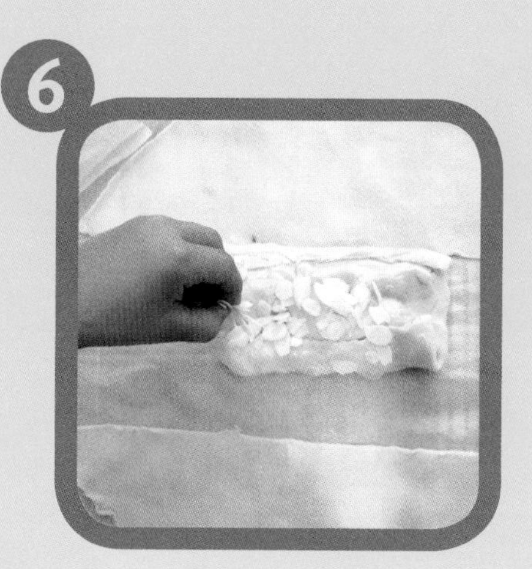

Dore le reste de la pâte
et parsème du reste des amandes effilées.
Fais cuire au four à 160 °C pendant 20 min.

Minifondants chocolat et noix

Ingrédients

- 200G DE CHOCOLAT NOIR EXTRA
- 50G DE BEURRE
- 3 ŒUFS
- 150G DE SUCRE EN POUDRE
- 70G DE FARINE
- 80G DE CERNEAUX DE NOIX

Matériel

- 1 FAIT-TOUT
- 1 CASSEROLE
- 1 SPATULE EN BOIS
- 1 MOULE SOUPLE À TARTELETTES

En faisant cette recette, tu sais d'avance que tu feras plaisir à tout le monde. Ces petites bouchées ont un cœur de chocolat fondant car elles sont à peine cuites, et le goût est relevé par un cerneau de noix. Pour bien les réussir, fais très attention à la cuisson qui ne doit pas dépasser 10 min.

1

Fais fondre le chocolat et le beurre au bain-marie.

2

Ajoute un à un les œufs en mélangeant bien.

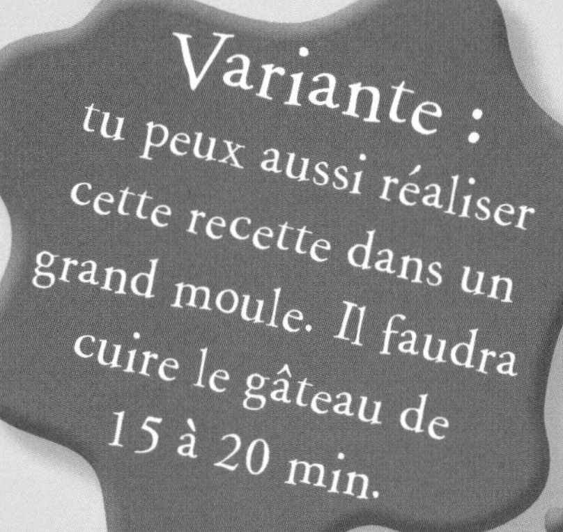

Ajoute ensuite le sucre.
Tu dois obtenir une consistance assez crémeuse.

Termine par la farine.

Variante : tu peux aussi réaliser cette recette dans un grand moule. Il faudra cuire le gâteau de 15 à 20 min.

Garnis le moule à tartelettes de chocolat.
Fais cuire au four à 180 °C de 8 à 10 min.

Démoule et laisse refroidir sur une grille.
Ajoute les cerneaux de noix.

Gentils monstres !

HALLOWEEN EST UNE FÊTE À L'OCCASION DE LAQUELLE LES ENFANTS, MASQUÉS ET DÉGUISÉS, VIENNENT PRÉSENTER DES PANIERS POUR QU'ON Y DÉPOSE DES FRIANDISES. VOICI QUOI FAIRE DE TES FRIANDISES...

Ingrédients

- Boules au chocolat blanches et noires
- Bonbons de toutes sortes

1

Prends une boule en chocolat, blanche par exemple, et figure les cheveux avec du fil de réglisse rouge.

Incruste des moustaches.

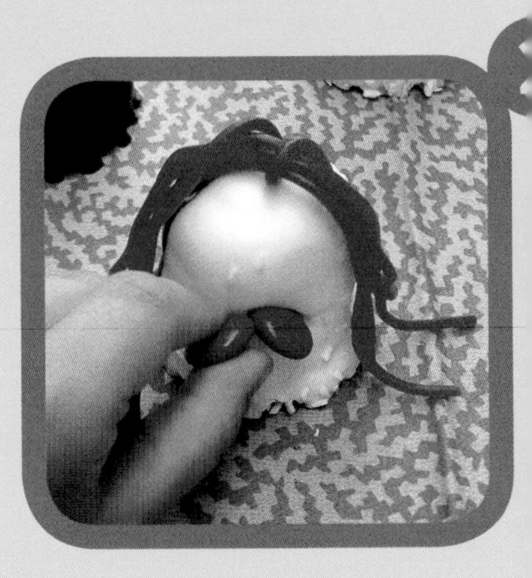

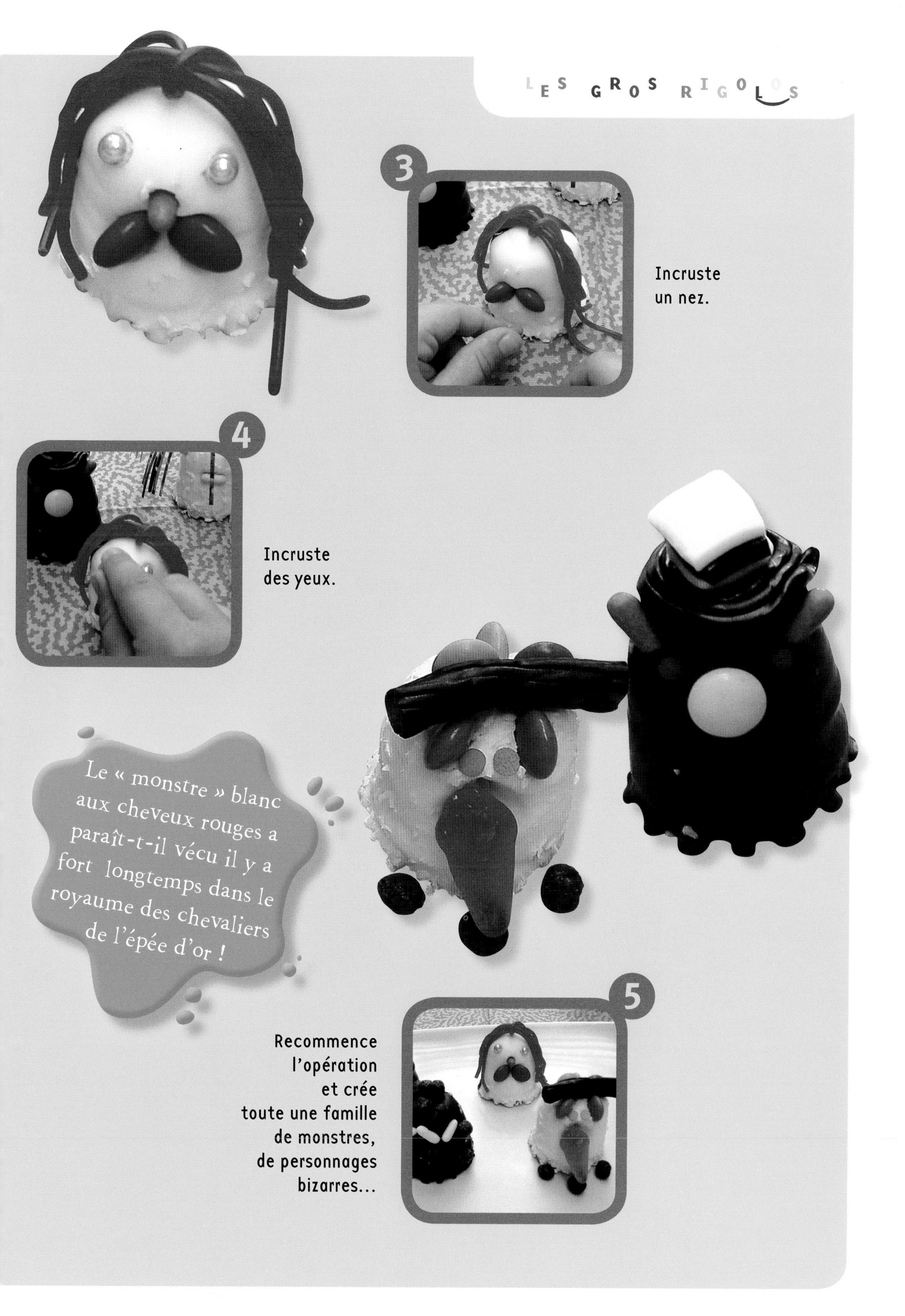
3
Incruste
un nez.
4
Incruste
des yeux.
Le « monstre » blanc
aux cheveux rouges a
paraît-t-il vécu il y a
fort longtemps dans le
royaume des chevaliers
de l'épée d'or !
5
Recommence
l'opération
et crée
toute une famille
de monstres,
de personnages
bizarres...

Couronnes de l'Avent

On nomme Avent la période précédant les fêtes de Noël et qui correspond à l'annonce de la naissance de Jésus. Les bougies font référence aux quatre dimanches avant le 24 décembre.

Ingrédients

- Pâte à la cannelle
- Fruits confits : cerises vertes et rouges
- 1 c. à s. de farine
- 4 oranges

Matériel

- 4 bougies
- 1 rouleau à pâtisserie
- 1 emporte-pièce en forme d'étoile
- 1 couteau
- 1 panier
- Branches de houx
- 1 plaque à four
- 1 feuille de

Conseil : fais attention à n'enlever que l'écorce de l'orange, sinon elle risquerait de pourrir.

1

Abaisse ta pâte au rouleau
et découpe des étoiles à l'emporte-pièce.

2

Fais un trou au centre de chaque étoile en
y déposant la bougie pour avoir la bonne
dimension puis dépose les étoiles sur la plaque
et fais cuire au four à 160 °C pendant 10 min.

3

Découpe en rond le haut
de chaque orange au couteau.

4

Enlève l'écorce
et voit si la bougie peut tenir.

5

Cale les oranges dans le panier décoré
des branches de houx.

6

Ajoute les étoiles, la bougie
et décore avec les fruits confits.

Petits gâteaux à la cannelle

Ingrédients

- 1 C. À S. DE FARINE
- 1 BOULE DE PÂTE À LA CANNELLE
- 1 VERRE DE LAIT

Matériel

- 1 ROULEAU À PÂTISSERIE
- 1 EMPORTE-PIÈCE
- 1 FEUILLE DE SILICONE
- 1 PLAQUE À FOUR
- 1 PINCEAU
- 1 GRILLE

Cette recette vient d'Alsace. Les Alsaciens confectionnent toutes sortes de petits gâteaux à Noël, et les rues sentent bon les épices. Si tu visites les marchés de Noël, tu te verras offrir ces petits gâteaux.

1

Farine le plan de travail et abaisse la pâte sur 5 mm d'épaisseur.

2

Découpe les formes à l'emporte-pièce.

Astuce :
si tu veux obtenir une dorure encore plus brillante, remplace le lait par du jaune d'œuf et ajoute une goutte d'huile !

3

Dépose-les délicatement sur la feuille de silicone posée sur la plaque.

4

Badigeonne chaque gâteau avec le lait.

5

Fais cuire au four à 180 °C pendant 12 min environ. Surveille la cuisson.
Laisse bien refroidir sur la grille.

Pâte à la cannelle

Ingrédients

- 500 g de farine
- 250 g de beurre amolli
- 1 zeste de citron
- 2 c. à s. de cannelle en poudre
- 250 g de sucre
- 3 œufs

Matériel

- 1 grand saladier
- 1 zesteur

Voici la seule recette de pâte en images. Regarde bien, car le principe est souvent le même. Pour un bon résultat, il faut que tu prépares les ingrédients avant de commencer à faire la pâte, que les œufs et le beurre soient à température ambiante et que la pâte repose au minimum pendant 1 nuit au frais.

1

Mets la farine dans le grand saladier et fais un puits.

2

Ajoute le beurre coupé en morceaux.

3

Ajoute
le zeste
de citron.

4

Ajoute
la cannelle.

Variante :
tu peux aussi
aromatiser la pâte
avec des zestes
d'orange.

5

Ajoute
le sucre.

6

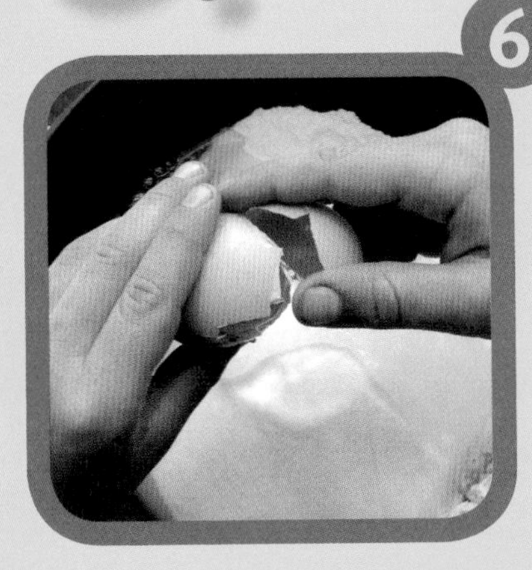

Ajoute
les œufs
en dernier.

7

Malaxe
du bout
des doigts
pour bien mixer
tous les ingrédients
ensemble.

8

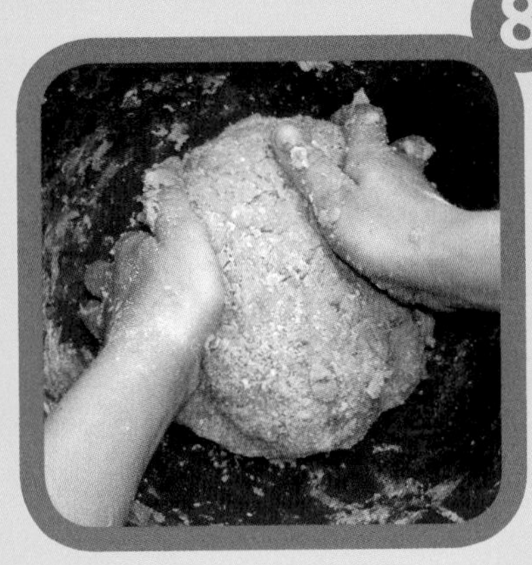

Continue
à malaxer
jusqu'à
obtention
d'une boule
de pâte
assez ferme.

Décors cœurs et étoiles

Tout comme les boules de Noël, voici une autre idée à accrocher à ton sapin de Noël.

Ingrédients

- 1 c. à s. de farine
- 1 boule de pâte à la cannelle
- 1 jaune d'œuf
- 50 g d'amandes effilées

Matériel

- 1 rouleau à pâtisserie
- Emporte-pièce cœur et étoile
- 1 pinceau
- Rubans fins
- 1 feuille de silicone
- 1 plaque à four

Attention !
Manipule les sablés avec précaution car ils peuvent se casser, surtout s'ils sont trop cuits.

1

Farine ton plan de travail
et abaisse la pâte au rouleau.

2

Découpe des formes
avec l'emporte-pièce le plus grand.

3

Pose sur les formes l'emporte-pièce
le plus petit, découpe
puis enlève la partie centrale.

4

Dépose les formes sur la feuille de silicone,
dans la plaque à four. Dore au jaune d'œuf.

5

Décore avec les amandes effilées
et fais cuire au four à 160 °C de 10 à 15 min.

6

Ajoute un ruban autour des gâteaux en faisant
un nœud pour que cela tienne bien.

Décors boules de Noël

Ingrédients

- 1 c. à s. de farine
- 1 boule de pâte à la cannelle
- 1 jaune d'œuf
- Sucre coloré et confettis

Matériel

- 1 rouleau à pâtisserie
- 1 emporte-pièce rond
- 1 feuille de silicone
- 1 plaque à four
- 1 allumette
- 1 pinceau
- Rubans fins

Prépare et décore toi-même ton sapin. Mélange les boules de Noël que tu auras faites avec d'autres boules et des décorations traditionnelles.

1

Farine ton plan de travail et abaisse la pâte.

2

Découpe des disques à l'emporte-pièce et mets-les sur la feuille de silicone posée sur la plaque.

3

Fais un petit trou dans chaque disque pas trop loin du bord avec l'allumette.

4

Dore au jaune d'œuf.

Astuce !
Si tu n'as pas d'emporte-pièce rond, utilise un verre.

5

Décore et fais cuire au four à 160 °C de 10 à 15 min.

5

Enfile 1 ruban dans chaque trou et fais un nœud.

Croquets

COMME LEUR NOM L'INDIQUE, CES PETITS GÂTEAUX CROQUENT. SURVEILLE BIEN LA CUISSON ET, SI TU N'ES PAS SÛR, SOULÈVE ET REGARDE LA COULEUR DU DESSOUS D'UN PETIT GÂTEAU. ELLE DOIT ÊTRE LÉGÈREMENT BRUNE.

Ingrédients

- 160 G DE FARINE
- 160 G DE SUCRE EN POUDRE
- 80 G DE POUDRE D'AMANDES ET DE POUDRE DE NOISETTES
- 1 ŒUF
- 80 G DE BEURRE AMOLLI

Matériel

- 1 BOL
- 1 CUILLÈRE EN BOIS
- 1 FEUILLE DE SILICONE
- 1 PLAQUE À FOUR

1

Mélange la farine et le sucre dans le bol à l'aide de la cuillère.

2

Verse la poudre
d'amandes
et de noisettes.

3

Forme un puits
et casse l'œuf
puis mélange
bien.

4

Ajoute le beurre
amolli
petit morceau
par petit morceau.

5

Quand le mélange
est homogène,
détache
des morceaux
de pâte
avec les doigts.

5

Dépose-les
sur la feuille de silicone
posée sur la plaque.
Fais cuire au four
à 160 °C
pendant 10 min.

Astuce !
Garde un peu de
pâte et fais la tarte
au chocolat qui est
expliquée un peu plus
loin dans le livre.

Sandwichs de fête

Ingrédients

- 1 PAQUET DE MERINGUES BLANCHES
- ½ BAC DE GLACE À LA VANILLE
- VERMICELLES DE COULEUR

Matériel

- 1 CUILLÈRE
- 1 ASSIETTE OU 1 PLATEAU

PRINCIPE DU SANDWICH, MAIS AVEC DE LA GLACE ET DES MERINGUES. RIGOLO ET GAI POUR LES JOURS DE FÊTE.

Variante !
Utilise les parfums de glace ou de sorbet de ton choix.

1

Réunis les meringues afin de voir
si elles ont la même taille.

2

Prends 1 c. à s. de glace.

3

Forme 1 boule avec tes doigts.

4

Roule la boule de glace
dans les vermicelles de couleur.

5

Mets 1 meringue de chaque côté de la glace,
fais de même avec les autres meringues
puis remets au congélateur
pour que la glace durcisse.

6

Présente les sandwichs sur un joli plateau
ou sur une assiette,
garni de feuilles de houx.

Truffes blanches

Ingrédients

- 200 G DE SUCRE GLACE
- 200 G DE NOIX DE COCO
- 1 TUBE OU 200 G DE LAIT CONCENTRÉ SUCRÉ

Matériel

- 1 BOL
- 1 CUILLÈRE EN BOIS
- CAISSETTES EN PAPIER

PETITES TRUFFES BLANCHES, MOELLEUSES, INRATABLES ET SANS CUISSON. FAIS DEVINER À TON ENTOURAGE LES INGRÉDIENTS DE CES TRUFFES.

1

Mets le sucre glace dans le bol.

2

Ajoute la noix de coco.

Astuce !
Mets le tube de lait concentré au frais afin que la pâte soit moins collante.

3

Verse le lait concentré sucré.

4

Mélange le tout à l'aide de la cuillère afin d'obtenir une pâte assez dense.

5

Prends un morceau et roule-le entre tes mains pour former 1 boule.

5

Roule-la dans la noix de coco et dépose la truffe dans une caissette. Fais le reste des truffes.

Mendiants

Les mendiants sont comme les fruits déguisés, des recettes classiques et incontournables. Ils se font rapidement et se dégustent encore plus vite ! Attention à la crise de foie !

Ingrédients

- 200 g de chocolat noir
- 70 g de noix
- 70 g de raisins secs
- 70 g de pignons
- 70 g d'amandes effilées
- 50 g de noix de coco en poudre

Matériel

- 1 bol
- 1 casserole
- 1 feuille de papier sulfurisé
- 1 cuillère

1

Fais fondre le chocolat au bain-marie.

2

Dépose 1 c. à c. de chocolat sur le papier sulfurisé et étale en rond avec le dos de la cuillère.

3

Dispose
les fruits secs
sur le chocolat.

4

Saupoudre
d'un peu
de noix de coco.

Variante !
Tu peux utiliser du chocolat blanc ou du chocolat au lait et faire griller au four certains fruits secs.

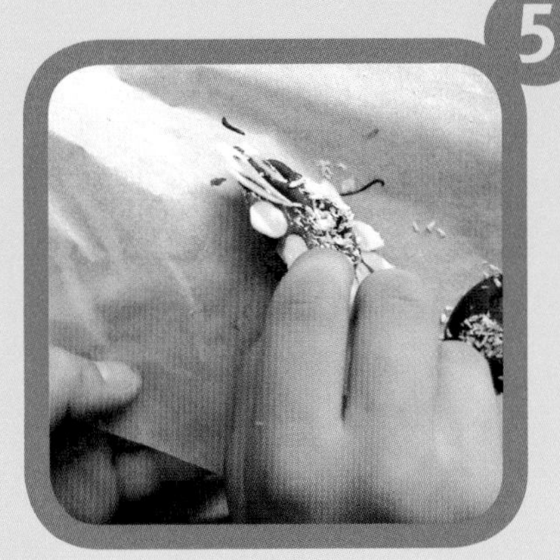

5

Attends
que les mendiants
refroidissent
et détache-les
délicatement.

Truffes croustillantes

FACILES À FAIRE ET JOLIES À OFFRIR, LES TRUFFES FONT TOUJOURS PLAISIR. CELLES-CI ÉTONNENT CAR ELLES SONT FORTES EN CHOCOLAT ET CROUSTILLENT ÉNORMÉMENT.

Ingrédients

- 250G DE CHOCOLAT
- 50G DE BEURRE
- 2C. À S. DE SUCRE
- 150G DE CRISP AU CHOCOLAT

Matériel

- 1 CASSEROLE
- 1 CUILLÈRE EN BOIS
- CAISSETTES EN PAPIER

1

Fais fondre à feu doux le chocolat avec le beurre et le sucre dans la casserole.

2

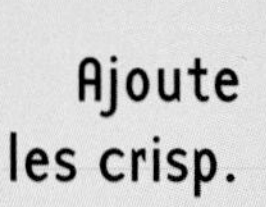

Ajoute les crisp.

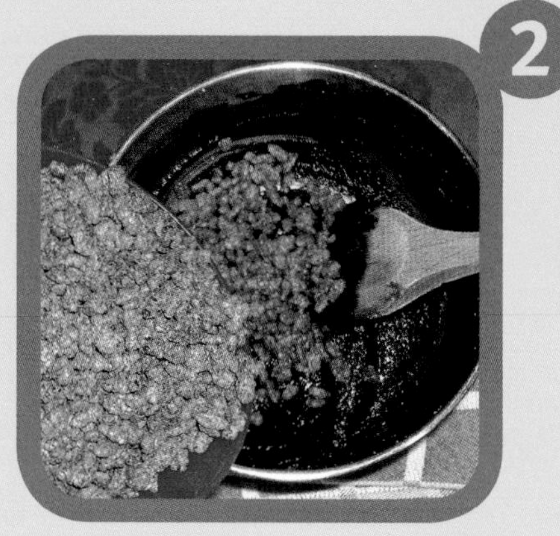

3

Mélange bien
à la cuillère
en faisant
attention
à ne pas écraser
les crisp.

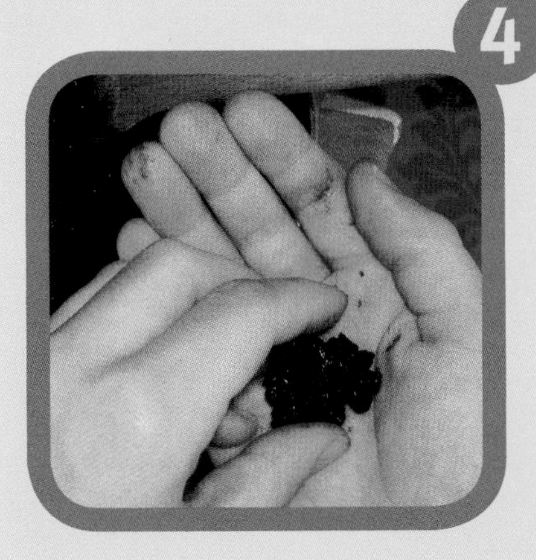

4

Attends un peu
que cela refroidisse
et forme des boules
dans tes mains.

Astuce !
Déguste bien froid,
les truffes seront
meilleures et plus
croquantes.

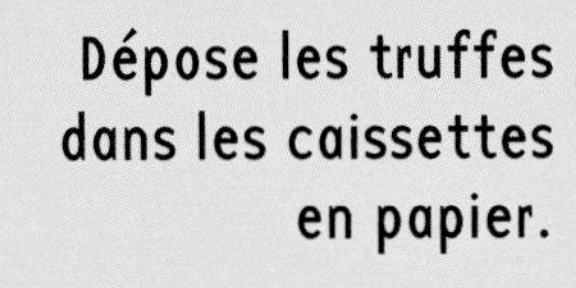

Dépose les truffes
dans les caissettes
en papier.

5

Fruits déguisés

Ingrédients

- 3 MORCEAUX DE PÂTE D'AMANDES DE COULEURS DIFFÉRENTES
- 4 OU 5 PRUNEAUX
- 4 OU 5 ABRICOTS
- 4 OU 5 DATTES
- 4 C. À S. DE MIEL LIQUIDE
- 1 BOL DE SUCRE

Matériel

- 1 COUTEAU
- 1 PLANCHE À DÉCOUPER
- 1 PINCEAU
- 1 ASSIETTE

UN HIVER SANS FRUITS DÉGUISÉS N'EST PAS PENSABLE. PRÉPARE-LES QUELQUES JOURS À L'AVANCE ET RANGE-LES DANS UNE BOÎTE HERMÉTIQUE.

Conseil : achète de préférence les fruits secs avec noyau, ils sont bien meilleurs et moins secs.

Idée : dispose-les bien serrés dans une boîte et mets un joli ruban autour.

Coupe 1 pruneau sur la planche
dans le sens de la longueur à l'aide du couteau.

Enlève délicatement le noyau.

Prends 1 petit morceau de pâte d'amandes
et fais 1 petit boudin.

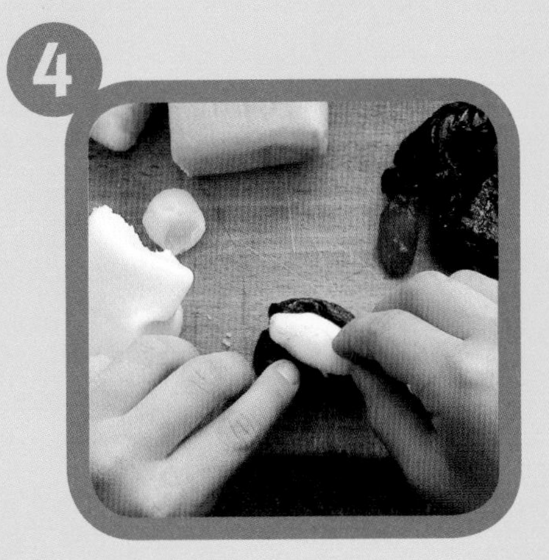

Glisse le boudin de pâte d'amandes
dans le pruneau.

Badigeonne le pruneau de miel.

Roule le pruneau dans le sucre et dépose-le
sur l'assiette. Fais de même avec le reste des
pruneaux, les abricots et les dattes.

Brioches de la Saint-Nicolas

Nous voici arrivés au 6 décembre, fête de saint Nicolas qui était évêque de Myra au IVe siècle. La légende raconte qu'il a ressuscité trois petit enfants égorgés et mis au saloir par un boucher. La Saint-Nicolas est une fête très populaire dans l'est de la France, et les enfants reçoivent à l'école une brioche en forme de bonhomme et une orange. À la maison, les chaussons sont mis devant la porte ou la cheminée pour que saint Nicolas y dépose en plus un petit cadeau.

Ingrédients

- 250 g de farine
- 1 pincée de sel
- 40 g de sucre
- ½ c. à café de levure boulangère
- 12,5 cl de lait tiède
- 1 œuf
- 80 g de beurre mou
- 1 poignée de raisins secs

Matériel

- 1 saladier
- 1 verre
- 1 cuillère en bois
- 1 petite cuillère
- 1 linge propre
- 1 plaque à four
- 1 feuille de papier sulfurisé
- 1 pinceau

Astuce !
Mets la pâte en hauteur et loin des courants d'air pour qu'elle lève facilement.

1

Mets la farine dans un saladier,
fais une fontaine et ajoute le sel et le sucre.

2

Délaye la levure dans le lait tiède
puis verse-la dans la fontaine.

3

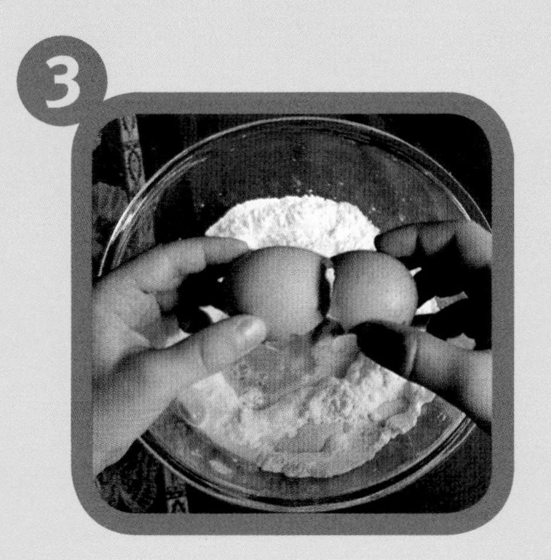

Ajoute l'œuf et le beurre.
Travaille la pâte jusqu'à l'obtention
d'une boule lisse et élastique.

4

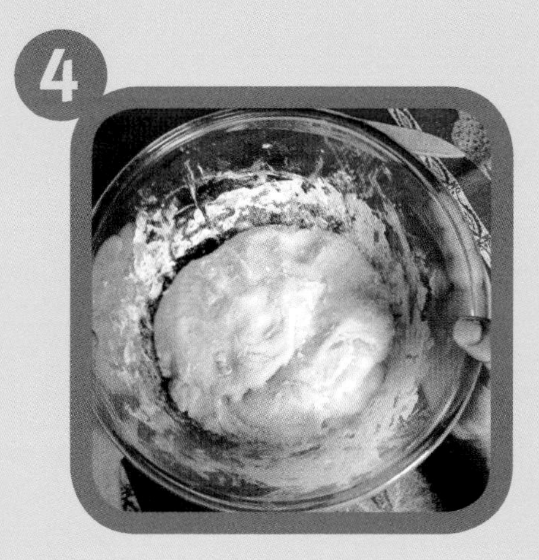

Fais-la reposer à température ambiante
pendant une heure couverte d'un linge propre
ou jusqu'à ce qu'elle ait doublé de volume.

5

Retravaille la pâte en la pressant
pour enlever l'air et forme des bonshommes
sur la plaque recouverte de papier sulfurisé.

6

Badigeonne de lait et dépose les raisins secs.
Mets à cuire dans le four à 180 °C
pendant 20 minutes environ.

Feuilles de houx en chocolat 64
Dessert de Noël 66
Bûche au marron 68
Brochettes vertes et rouges 70
Sapins de Noël 72
Noël en lettres 74
Marque-place 76
Sapins de Noël en pâte d'amandes 78
Tartelettes au chocolat 80
Cœurs cannelle fraise 82
Gratin de bananes 84
Biscuits aux flocons d'avoine 86
Oranges glacées 88
Palets blancs 90
Sapins blancs 92
Petites montagnes 94
Cookies aux raisins 96
Galette des Rois 98
Trésor des Rois mages 100
Masques 102
Baguettes magiques 104

LES ATELIERS DE L'HIVER
NOEL

Ingrédients

- 100 G DE CHOCOLAT

Matériel

- 1 BOL
- 1 CASSEROLE
- 1 CUILLÈRE EN BOIS
- 1 BRANCHE DE HOUX
- 1 PINCEAU
- 1 FEUILLE DE PAPIER SULFURISÉ

Feuilles de houx en chocolat

Patience et délicatesse pour cet atelier, et le résultat sera magnifique.

Astuce !
Utilise les feuilles pour décorer un dessert ou offre-les avec le café.

1

Fais fondre doucement le chocolat au bain-marie.

2

Détache une par une les feuilles de houx.

3

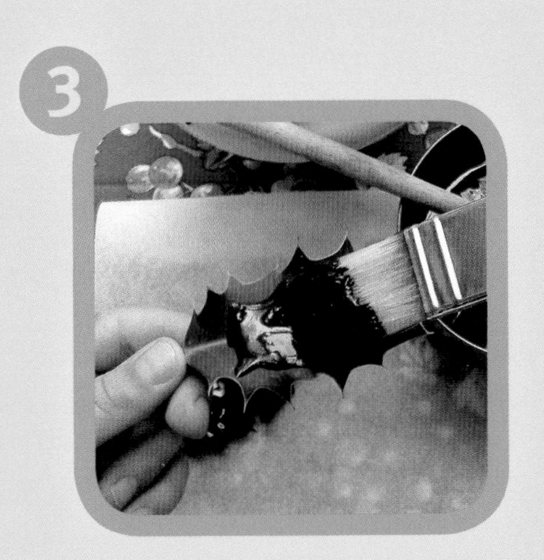

Recouvre chaque feuille de houx d'une bonne couche de chocolat à l'aide du pinceau.

4

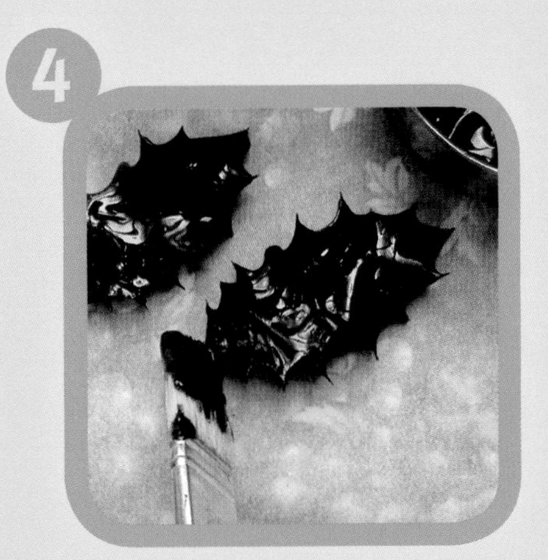

Pose les feuilles sur le papier sulfurisé et donne un coup de pinceau sur la queue.

5

Laisse sécher pendant 1 h à température ambiante.

6

Détache délicatement les feuilles en chocolat.

Dessert de Noël

CE DESSERT EST UNE SORTE DE TIRAMISU DE NOËL. TOI ET TES AMIS, DÉGUSTEZ-LE COMME PRÉPARÉ CI-DESSOUS. POUR TES PARENTS, AJOUTE DANS LE MASCARPONE 1 GOUTTE D'ALCOOL OU DE LIQUEUR.

Ingrédients

- 2 OU 3 BISCUITS À LA NOISETTE
- 2 PETITS POTS DE CRÈME DE MARRONS
- 125 G DE MASCARPONE
- BILLES BONBONS ROUGES

Matériel

- 1 JOLIE COUPE
- 1 CUILLÈRE

1

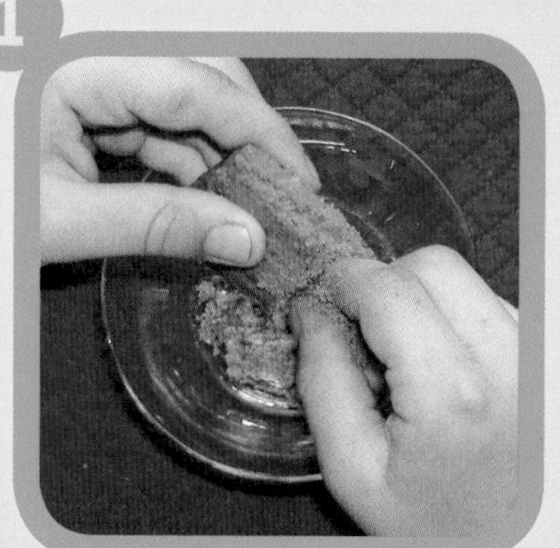

Émiette avec tes doigts 1 ou 2 biscuits de façon à remplir le fond de la coupe.

2

Ajoute la crème de marrons et recouvre la couche de biscuit.

3

Ajoute
le mascarpone
que tu auras bien
mélangé
à la cuillère
pour l'assouplir.

4

Décore avec
des feuilles de houx
en chocolat.

Astuce !
Pour que leur couleur
ne se mélange pas avec
le mascarpone, rajoute
les billes rouges au
dernier moment.

5

Ajoute
les petites
billes rouges
et réserve
le dessert
au frais.

Bûche au marron

Ingrédients

POUR 1 BÛCHE
- Quelques carrés de chocolat noir et de chocolat blanc
- 2 meringues longues
- 2 petits pots de crème de marrons
- Fruits confits
- Feuilles de houx en pain azyme
- Décorations de Noël en sucre

Matériel

- 1 épluche-légumes
- 1 cuillère

Cette année, fait la surprise à toute ta famille en confectionnant toi-même des petites bûches de Noël.

Astuce !
Pour faire de belles écailles, il faut bien enfoncer ton épluche-légumes dans le chocolat à température ambiante.

1

Essaie de faire des écailles de chocolat avec l'épluche-légumes.

2

Badigeonne de crème de marrons la surface lisse des meringues à l'aide de la cuillère.

3

Colle les meringues ensemble, surface lisse sur surface lisse.

4

Badigeonne de crème de marrons le haut de la meringue et les côtés.

5

Recouvre la crème de marrons avec les écailles en chocolat.

6

Décore avec les feuilles de houx, les décorations en sucre, et les fruits confits.

Brochettes vertes et rouges

Ingrédients

- 1 verre de cerises confites rouges
- 1 verre de cerises confites vertes
- Feuilles de houx en pain azyme

Matériel

- Cure-dents
- 1 assiette

**Le rouge et le vert sont les couleurs traditionnelles de Noël.
À cette époque, tu trouveras une multitude de décorations mangeables...
Voici une idée à garder ou à offrir.**

1

Prends 1 cure-dents et enfile 1 cerise rouge.

2

Enfile 1 feuille de houx.

Astuce !
Amuse toi à trouver toutes les combinaisons possibles : 2 cerises rouges + 1 feuille verte ; 1 cerise rouge + 1 cerise verte + 1 cerise rouge ; 2 cerises vertes + 1 feuille...

3

Rajoute une autre cerise.

4

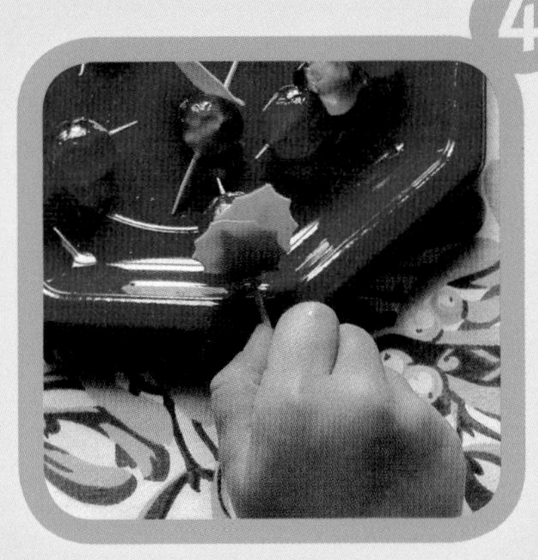

Dépose ta minibrochette sur une assiette et renouvelle l'opération.

Sapins de Noël

Ingrédients

- 1 c. à s. de farine
- 1 boule de pâte à la cannelle
- 1 jaune d'œuf
- Miel liquide

Matériel

- 1 rouleau à pâtisserie
- 4 emporte-pièce en forme d'étoile de tailles différentes
- 1 plaque à four
- 1 feuille de papier sulfurisé
- 1 pinceau

Aussi bons que jolis, ils compléteront ta décoration de table de Noël. Dans un sachet transparent, tu pourras les offrir à tes amis.

1

Farine le plan de travail, abaisse la pâte au rouleau et découpe les formes.

2

Dépose-les sur la plaque à four recouverte de papier sulfurisé et dore-les au jaune d'œuf à l'aide du pinceau puis fais-les cuire au four à 160 °C pendant 10 min.

à la place du miel, utilise de la gelée de framboise ou de la confiture d'églantines.

3

Pour un sapin, il te faut :
1 grande étoile
+ 1 toute petite
+ 1 moyenne
+ 1 toute petite
+ 1 petite
+ 1 toute petite.
Prépare tes sapins en les empilant.

4

Dépose la grande étoile sur une assiette et badigeonne la plus petite de miel.

Idée déco : tu peux saupoudrer d'un peu de sucre glace afin d'imiter la neige.

5

Colle-la sur la plus grande et continue l'opération.

6

Termine avec une toute petite étoile.

Noël en lettres

UNE IDÉE DE DÉCORATION TOUTE SIMPLE MAIS QUI PLAÎT BEAUCOUP.

Ingrédients

- 1 MORCEAU DE PÂTE À LA CANNELLE
- 2 C. À S. DE FARINE
- 1 JAUNE D'ŒUF

Matériel

- 1 ROULEAU À PÂTISSERIE
- 1 COUTEAU
- 1 PLAQUE À FOUR
- 1 FEUILLE DE SILICONE
- 1 PINCEAU
- 1 GRILLE

Astuce !
Tu peux ajouter un peu de zeste d'orange dans la pâte.

Variante :
avant de cuire les lettres, fais un petit trou avec une allumette, tu pourras les accrocher au sapin de Noël.

1

Roule la boule de pâte dans la farine.

2

Étale la pâte avec le rouleau à pâtisserie.

3

Découpe les lettres au couteau.

4

Détache les lettres à l'aide du couteau.

5

Pose les lettres sur la plaque à four recouverte de la feuille de silicone et badigeonne de jaune d'œuf à l'aide du pinceau.

6

Fais cuire au four à 160 °C pendant une dizaine de minutes et laisse refroidir sur la grille.

Marque-Place

CETTE ANNÉE, PAS BESOIN DE PETITS CARTONS POUR PLACER LES INVITÉS. PRÉPARE-LES ET PERSONNALISE-LES COMME TU VOUDRAS.

Ingrédients

- 1 C. À S. DE FARINE
- 1 BOULE DE PÂTE À LA CANNELLE
- TUBES DE GLAÇAGE
- BILLES ROUGES ET BILLES ARGENTÉES

Matériel

- 1 ROULEAU À PÂTISSERIE
- 1 EMPORTE-PIÈCE OVALE
- 1 PLAQUE À FOUR
- 1 FEUILLE DE SILICONE
- 1 GRILLE

1

Farine la boule de pâte puis le plan de travail et abaisse la pâte au rouleau.

2

Découpe les formes à l'emporte-pièce.

3

Dépose-les sur
la plaque à four
recouverte de
la feuille de silicone.
Fais cuire à 160 °C
pendant 10 min.

4

Fais refroidir
sur la grille.

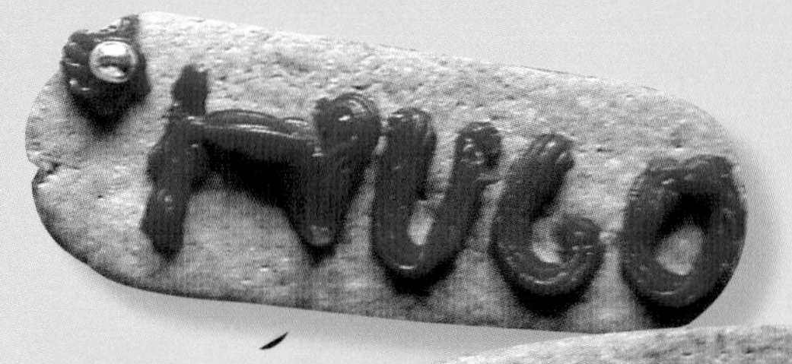

5

Utilise
les tubes de glaçage
comme des feutres
et écris les prénoms
de tes invités.

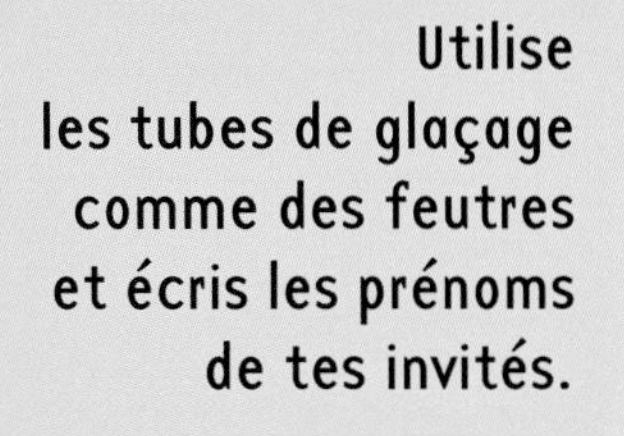

6

Ajoute des billes
argentées et
des billes rouges.

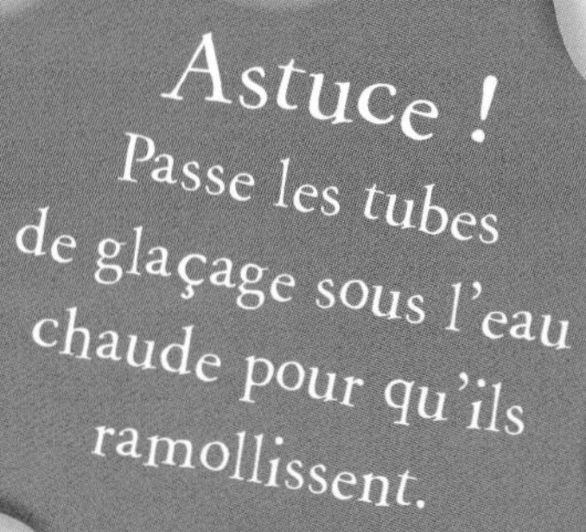

Astuce !
Passe les tubes
de glaçage sous l'eau
chaude pour qu'ils
ramollissent.

Sapins de Noël en pâte d'amandes

Ingrédients

- 1 bloc de pâte d'amandes verte
- Boules de houx rouges en sucre
- Billes argentées

Matériel

- 1 rouleau à pâtisserie
- 1 emporte-pièce en forme de sapin

Ces petits sapins te permettront de décorer les assiettes de Noël, la bûche ou d'autres gâteaux. Si tu les prépares à l'avance, il faut les ranger dans une boîte en fer bien hermétique pour éviter qu'ils ne sèchent.

1

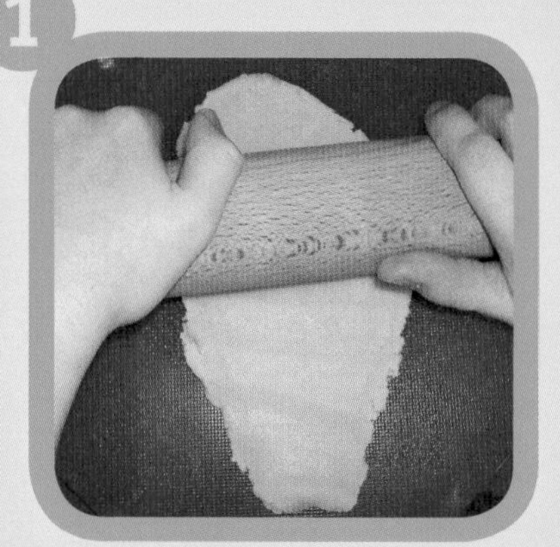

À l'aide du rouleau à pâtisserie, étale la pâte d'amandes.

2

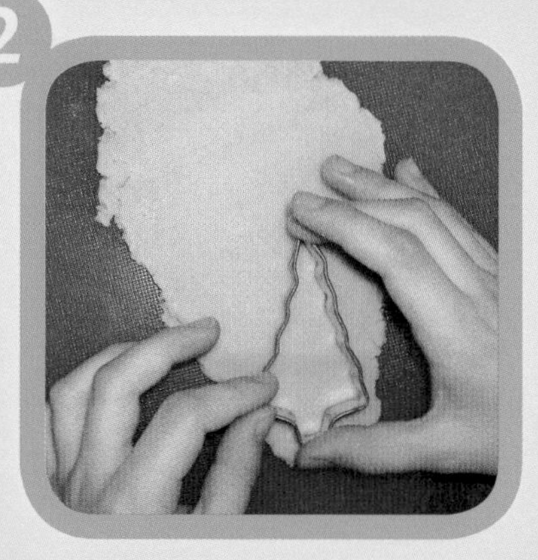

Découpe des sapins à l'emporte-pièce.

3

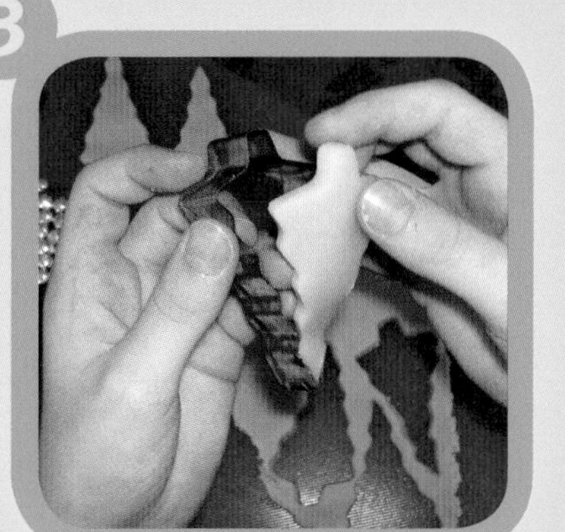

Détache doucement la pâte d'amandes en poussant avec tes doigts.

4

Décore avec les boules de houx rouges et les billes argentées.

Astuce !
Parfume la pâte d'amandes avec un peu d'essence d'amande amère.

Tartelettes au chocolat

TU POURRAS PRÉPARER CE DESSERT À L'AVANCE, CAR IL SE DÉGUSTE BIEN FROID. ACCOMPAGNE-LE D'UN SORBET, DE FRUITS FRAIS OU DE CRÈME FOUETTÉE.

Ingrédients

- 1 BOULE DE PÂTE À CROQUETS
- 100 G DE CHOCOLAT
- 30 G DE BEURRE
- 1 JAUNE D'ŒUF
- 2 C. À S. DE CRÈME LIQUIDE

Matériel

- 4 MOULES À TARTELETTE
- 1 FOURCHETTE
- 1 CASSEROLE
- 1 CUILLÈRE EN BOIS

Variante !
Tu peux aussi utiliser une pâte sablée ou une pâte feuilletée.

1

Étale la pâte dans les moules
en pressant avec tes doigts.

2

Fais des petits trous avec la fourchette
et fais cuire au four à 160 °C de 15 à 20 min.

3

Casse le chocolat dans la casserole,
ajoute le beurre et fais fondre doucement.

4

Hors du feu, ajoute le jaune d'œuf
puis la crème. Mélange bien avec la cuillère.

5

Démoule les tartelettes.

6

Remplis de crème au chocolat et laisse refroidir.

Cœurs cannelle fraise

Sortes de petits sandwichs à la fraise et à la cannelle.

Ingrédients

- 1 c. à s. de farine
- 1 boule de pâte à la cannelle
- 1 verre de lait
- 1 verre de confiture de fraises

Matériel

- 1 rouleau à pâtisserie
- 2 emporte-pièce en forme de cœur (1 grand et 1 petit)
- 1 plaque à four
- 1 feuille de papier sulfurisé
- 1 pinceau
- 1 grille

1. Farine le plan de travail et abaisse la pâte au rouleau.

2. Découpe des grands cœurs à l'emporte-pièce.

3

Pose le petit emporte-pièce au centre de chaque grand cœur et découpe des petits cœurs.

4

Dépose les grands cœurs sur la plaque à four recouverte du papier sulfurisé et badigeonne de lait au pinceau. Fais cuire au four à 160 °C pendant 10 min.

5

Fais refroidir sur la grille. Dépose 1 c. à c. de confiture au centre de chaque cœur plein.

Variante !
Avec de la confiture de framboises, tu retrouveras le goût de la Linzertorte.

5

Ajoute un cœur ajouré et laisse la confiture passer à travers.

Gratin de bananes

Ingrédients

- 4 ou 5 bananes bien mûres
- 1 sachet de sucre vanillé
- 1 grosse c. à s. de cannelle en poudre
- 50 g d'amandes effilées
- 50 g de pépites de chocolat
- 4 ou 5 petits gâteaux aux épices (type spéculoos)

Matériel

- 1 couteau
- 1 plat à gratin
- 1 râpe

La maison va se remplir d'une délicieuse odeur de bananes et d'épices lorsque ton gratin va cuire. Un peu d'exotisme avec ce dessert.

1

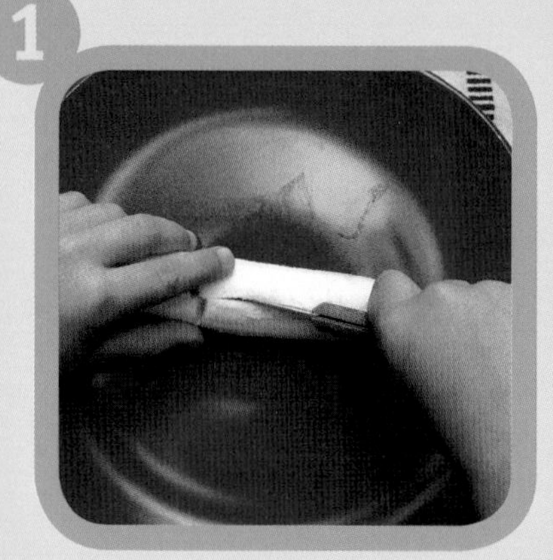

Épluche les bananes et coupe-les en deux dans le sens de la longueur.

2

Dispose-les bien serrées dans le plat à gratin.

3

Saupoudre
de sucre vanillé et
ajoute la cannelle.

Astuce !
Déguste tiède nature
ou accompagné
d'un peu de crème
fraîche.

4

Parsème
d'amandes effilées
et de pépites
de chocolat.

5

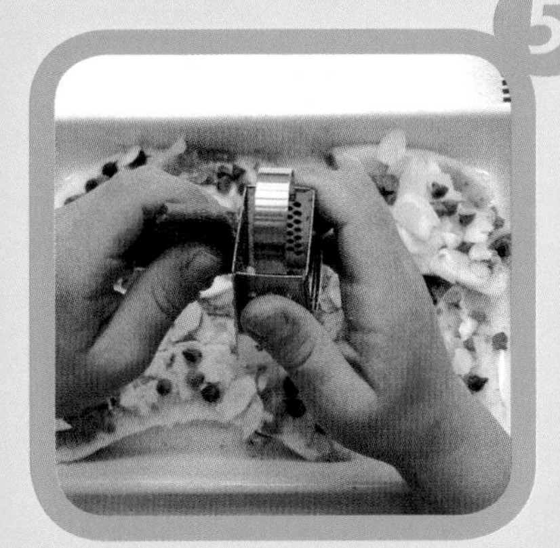

Râpe les biscuits.
Fais cuire
au four à 180 °C
pendant 20 min.

Biscuits aux flocons d'avoine et pépites de chocolat

Ingrédients

- 50 G DE BEURRE AMOLLI
- 125 G DE SUCRE BLANC EN POUDRE
- 50 G DE FARINE AVEC LEVURE
- 1 ŒUF
- 1 PINCÉE DE SEL
- 175 G DE FLOCONS D'AVOINE
- 170 G DE PÉPITES DE CHOCOLAT

Matériel

- 1 CUILLÈRE EN BOIS
- 1 BOL
- 1 CUILLÈRE À CAFÉ
- 1 PLAQUE À FOUR
- 1 FEUILLE DE PAPIER SULFURISÉ

TU CONNAIS CERTAINEMENT LES FLOCONS D'AVOINE POUR LES AVOIR MANGÉS CHAUDS OU FROIDS AVEC DU LAIT OU DANS DES YAOURTS. SI TU EN GARDAIS UN MAUVAIS SOUVENIR, TU NE POURRAS RÉSISTER À CETTE RECETTE DE BISCUITS.

Astuce !
Si tu n'as pas de pépites de chocolat, casse ou mixe rapidement une tablette de chocolat.

Mélange à l'aide de la cuillère en bois le beurre avec le sucre dans le bol.

Ajoute la farine.

Ajoute l'œuf entier et la pincée de sel.

Ajoute les flocons d'avoine petit à petit afin que tu puisses bien mélanger.

Ajoute les pépites de chocolat.
Tu obtiens une pâte assez dense.

Fais des petits tas avec la cuillère à café sur la plaque à four recouverte de papier sulfurisé et fais cuire au four à 160 °C pendant 10 min.

Oranges glacées

Très rafraîchissantes et mousseuses, les oranges glacées feront un dessert idéal après les grands repas de fête.

Ingrédients

- 2 oranges
- 50 cl de lait concentré non sucré
- 4 c. à s. de sucre en poudre

Matériel

- 1 couteau
- 1 presse-agrumes
- 1 cuillère
- 1 batteur

Astuce ! Remplace le jus d'orange par du jus de citron.

1

Coupe les oranges en deux.

2

Presse-les.

3

Vide le reste de la pulpe avec la cuillère.
Attention à ne pas déchirer ou trouer la peau.

4

Verse le jus d'orange dans le lait concentré non sucré.

5

Ajoute le sucre et bat au batteur.
Le mélange doit doubler de volume.

6

Remplis les oranges avec la mousse obtenue et laisse au congélateur de 3 à 4 h.

Palets blancs

NUL BESOIN CETTE FOIS-CI DE SORTIR À L'AVANCE DU RÉFRIGÉRATEUR LE BEURRE OU LES ŒUFS. IL N'EN FAUT PAS !

Ingrédients

- 1 VERRE DE FARINE
- 1 VERRE DE SUCRE EN POUDRE
- 1 VERRE DE CRÈME LIQUIDE

Matériel

- 1 BOL
- 1 CUILLÈRE EN BOIS
- 1 PETITE CUILLÈRE
- 1 PLAQUE À FOUR
- 1 FEUILLE DE SILICONE
- 1 GRILLE

1

Verse la farine dans le bol.

2

Ajoute le sucre.

Astuce !
Les palets doivent être vraiment blancs comme la neige, alors surveille bien la cuisson.

3

Ajoute la crème
et mélange le tout
à l'aide de
la cuillère en bois.
Tu obtiendras
une pâte
assez ferme.

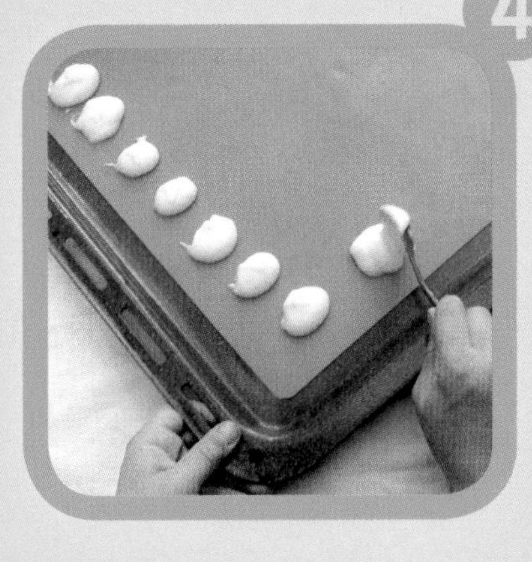

4

À l'aide de la petite
cuillère, fais
des petits tas sur
la plaque à four
recouverte de la
feuille de silicone,
que tu espaceras
car la pâte s'étale
à la chaleur.

5

Fais cuire
au four à 160 °C
pendant 10 min.
Décolle les petits
gâteaux dès la sortie
du four en
les mettant sur
la grille pour
qu'ils refroidissent.

Sapins blancs

Sous les petits sapins blancs se cache un délicieux fondant à l'orange. L'hiver, les agrumes sont pleins de vitamines, très juteux, et ils parfument divinement les gâteaux.

Ingrédients

- 115 g de beurre
- 115 g de sucre en poudre
- 2 œufs
- 115 g de farine avec levure
- 1 grosse orange
- Sucre glace

Matériel

- 1 bol
- 1 cuillère en bois
- 1 couteau
- 1 presse-agrumes
- 1 râpe
- 2 moules en forme de sapin
- 1 grille
- 1 passoire à thé

1

Assouplis 100 g de beurre dans le bol en le remuant avec la cuillère en bois.

2

Ajoute le sucre.

3

Ajoute
un à un les œufs
et remue vivement.

4

Ajoute
la farine.

5

Coupe l'orange
en deux et presse
le jus que
tu ajouteras
ensuite à la pâte.

6

Râpe un peu de zeste.
Beurre les moules et
remplis-les de pâte.
Fais cuire au four à 160 °C
pendant 20 min.

6

Démoule
sur la grille
et saupoudre
de sucre glace
en le tamisant
à travers
la passoire à thé.

Astuce !
Tamiser le sucre glace à travers la passoire à thé permet d'avoir une couche fine et régulière de sucre glace.

Petites montagnes

Doux rappel de la saison avec ces délicieuses petites montagnes à la noix de coco.

Ingrédients

- 3 blancs d'œufs
- 150 g de sucre en poudre
- 150 g de noix de coco

Matériel

- 1 batteur
- 1 bol
- 1 plaque à four
- 1 feuille de papier sulfurisé

1

Bats les blancs en neige ferme dans le bol.

Variante :

tu peux tremper la pointe des montagnes dans du chocolat.

2

Ajoute le sucre.

3

Ajoute la noix
de coco,
mélange
vivement ou bats
encore un peu.

Astuce !
L'intérieur doit
rester moelleux, donc
surveille la cuisson.

4

Forme des petites
montagnes sur
la plaque à four
recouverte de papier
sulfurisé.

5

Fais cuire au four
à 150 °C
pendant 10 min.

Cookies aux raisins

Ingrédients

- 125 g de beurre
- 125 g de sucre en poudre
- 1 œuf
- 185 g de farine
- 125 g de raisins secs

Matériel

- 1 cuillère en bois
- 1 bol
- 1 plaque à four
- 1 feuille de papier sulfurisé
- 1 grille

Cookie est un mot anglo-américain qui désigne un biscuit rond dont la pâte comporte des éclats de chocolat ou de fruits secs. Voici une recette avec des raisins secs.

Astuce !
Les gâteaux se conserveront pendant 3 semaines dans une boîte hermétique.

1

Mélange vivement avec la cuillère en bois
le beurre avec le sucre dans le bol.

2

Ajoute l'œuf et homogénéise
en mélangeant vivement.

3

Ajoute la farine.

4

Ajoute les raisins secs.

5

Fais des petits tas avec tes doigts
et dépose-les sur la plaque à four recouverte
du papier sulfurisé. Fais cuire au four à 160 °C
pendant 10 min.

6

Dés la sortie du four,
fais refroidir les gâteaux sur la grille.

Galette des Rois

Amuse-toi à faire toi-même la galette des Rois et ajoute une ou plusieurs fèves Découpe la couronne dans du papier crépon de couleur.

Ingrédients

- 125g de pâte d'amandes
- 75g d'amandes effilées
- 1 œuf + 1 jaune
- 1 rouleau de pâte feuilletée

Matériel

- 2 bols
- 1 pilon
- 1 batteur
- 1 moule à tarte de taille moyenne
- 1 fève
- 1 pinceau
- 1 couteau

1

Assouplis la pâte d'amandes dans un bol en la mélangeant avec le pilon.

2

Ajoute les amandes effilées et écrase-les avec le pilon en les mélangeant à la pâte d'amandes.

3

Casse l'œuf, sépare le blanc du jaune et ajoute le jaune aux amandes.

Tradition ! Une personne placée sous la table attribuera les parts.

4

Bats le blanc d'œuf en neige ferme dans un autre bol et ajoute-le. Tu obtiens un mélange souple.

5

Dans la pâte feuilletée, découpe un disque de pâte et réserve-le. Avec le reste, garnis le fond du moule et ajoute le mélange. N'oublie pas de mettre la fève.

6

Ajoute le disque de pâte et dore au jaune d'œuf à l'aide du pinceau puis fait des croisillons au couteau. Fais cuire au four à 180 °C pendant 20 min.

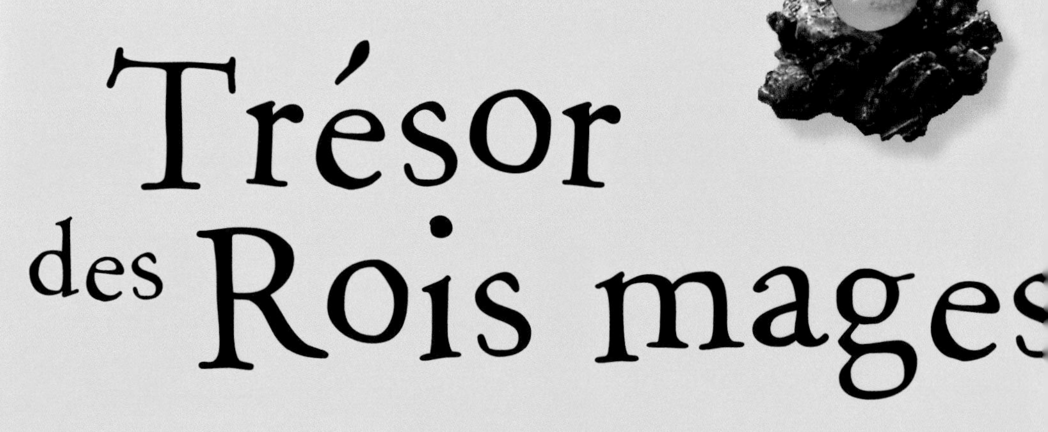

Trésor des Rois mages

« QUAND JÉSUS FUT NÉ, TROIS HOMMES SAGES DÉCOUVRIRENT EN ORIENT UNE ÉTOILE DANS LE CIEL. ON LES APPELAIT AUSSI LES MAGES... ILS SE MIRENT EN ROUTE POUR LUI RENDRE HOMMAGE ET LUI APPORTER DES TRÉSORS ET NOTAMMENT DE L'OR, DE L'ENCENS ET DE LA MYRRHE. »

Ingrédients

- 1 PLAQUE DE CHOCOLAT
- 75 G DE RAISINS SECS
- 75 G D'AMANDES EFFILÉES
- 75 G DE NOIX
- 75 G DE NOIX DE COCO RÂPÉE
- CERISES CONFITES ROUGES
- CERISES CONFITES VERTES

Matériel

- 2 BOLS
- 1 CASSEROLE
- 1 CUILLÈRE EN BOIS
- 1 ASSIETTE

1

Fais fondre le chocolat doucement au bain-marie.

2

Verse les raisins secs, les amandes, les noix et la noix de coco dans un bol.

3

Ajoute le chocolat fondu et mélange le tout à l'aide de la cuillère.

4

Fais des petits tas ronds sur l'assiette.

Variante !
Tu peux aussi utiliser des pignons, des pistaches, des noix de cajou, des amandes entières...

5

Ajoute les fruits confits sur le dessus.

Masques de carnaval

PERSONNAGES OU ANIMAUX, À TOI DE DÉCIDER... LE PUDDING TE SERVIRA DE BASE ET TU LE DÉCORERAS AVEC DES BONBONS.

Ingrédients

- 1 SACHET DE PUDDING À LA VANILLE
- 50 CL DE LAIT
- 10 MORCEAUX DE SUCRE
- BONBONS

Attention : suivre les instructions inscrites au dos du sachet de pudding

Matériel

- 1 BOL
- 1 CASSEROLE
- 1 CUILLÈRE EN BOIS
- 3 MOULES À TARTELETTE
- 3 ASSIETTES

1

Délaye le contenu du sachet avec 6 c. à s. de lait dans le bol à l'aide de la cuillère.

2

Verse le reste de lait et le sucre dans une casserole et fais chauffer.

3

Ajoute le lait bouillant sucré au mélange pudding et remue bien. Refait chauffer si nécessaire.

4

Verse le mélange dans les moules à tartelette et attends que cela refroidisse.

5

Décolle les puddings en pressant avec tes doigts le pudding puis démoule-les sur les assiettes.

Variante : tu peux acheter du pudding à d'autres parfums, chocolat, pistache, framboise...

6

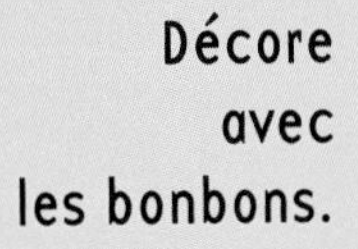

Décore avec les bonbons.

Baguettes magiques

Ingrédients

- 1 rouleau de pâte feuilletée
- 1 jaune d'œuf
- Graines de cumin

Matériel

- 1 couteau pointu
- Plat à four
- Papier sulfurisé
- 1 emporte-pièce en forme d'étoile
- 1 fourchette
- 1 pinceau

Voici des baguettes magiques ornées d'une étoile. Avant de les mettre au four pour les cuire, récite-leur une poésie afin qu'elles puissent reconnaître ta voix et réaliser tous tes vœux.

1

Déroule la pâte feuilletée et découpe des bandes ni trop larges ni trop fines.

2

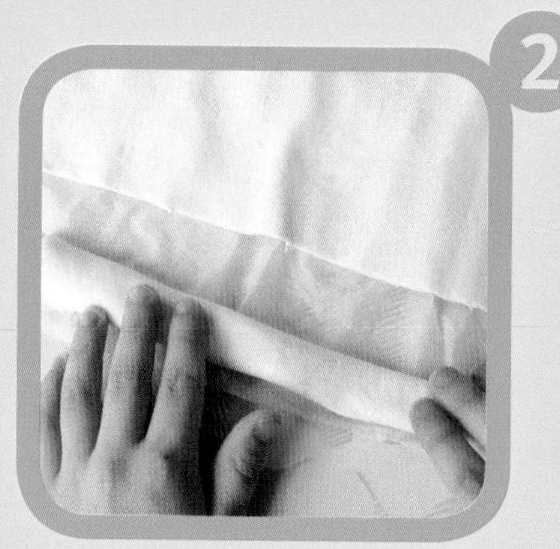

Roule la pâte doucement sans appuyer pour ne pas l'écraser. Dépose les bandes dans le plat à four sur du papier sulfurisé.

3

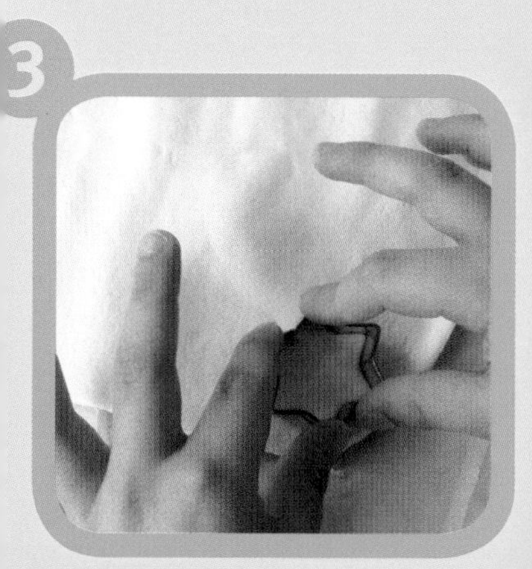

Découpe des étoiles
dans un coin
de la pâte à l'aide
de l'emporte-pièce.

4

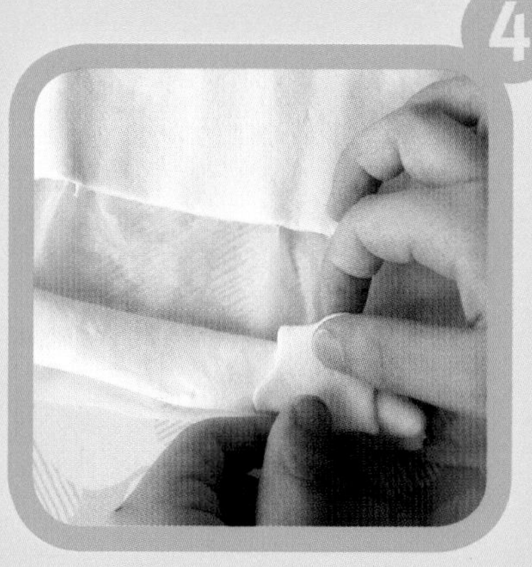

Décolle les étoiles
très délicatement
et dépose-les
sur un des bouts
de chaque bande
roulée.

5

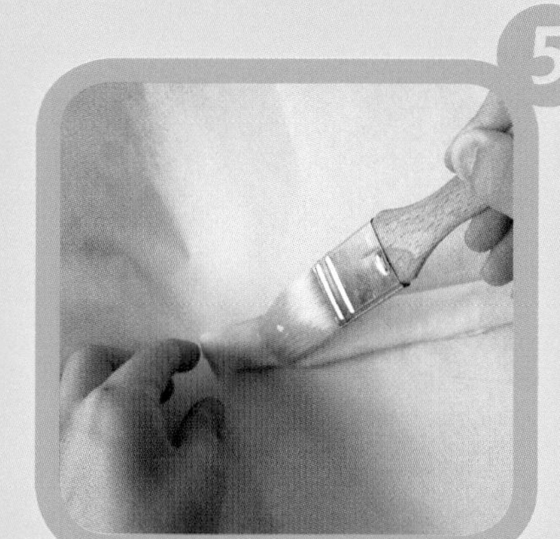

Bats le jaune d'œuf
avec la fourchette
puis, à l'aide
u pinceau, recouvre
la pâte feuilletée
de jaune d'œuf
ns oublier les côtés.

6

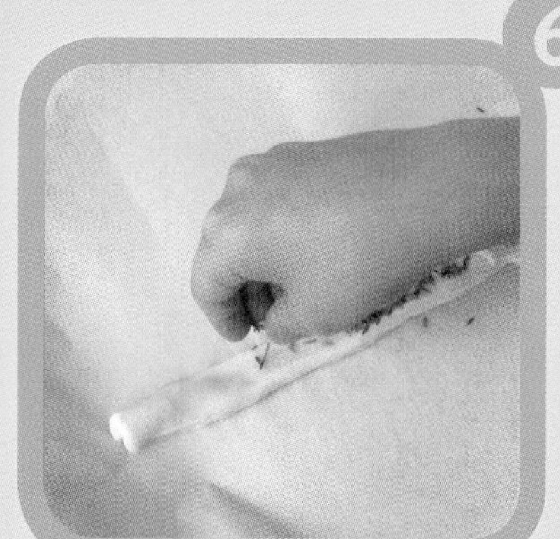

Parsème
de graines
de cumin.

7

Fais cuire
au four à 180 °C
pendant 20 min
environ.

Astuce !
À la place du cumin,
utilise des herbes, ou
bien du fromage râpé
ou encore du gros sel.

Petites souris 108
Muffins au romarin 110
Tartes à la crème 112
Petits-fours de printemps 114
Bouchées choc-fruits 116
Bracelet fraises 118
Tartelettes au citron 120
Corbeilles avec des framboises 122
Panier de printemps 124
Dessert rose 126
Cake aux raisins 128
Poissons d'avril pailletés 130
Œufs de Pâques 132
Sablés œufs de Pâques 134
Œufs au plat 136
Nids en meringue 138
Sucres à l'eau de fleur d'oranger 140
Pièce montée pour maman 142
Cigares pour papa 144
Grands sablés pour la fête des Mères 146

LES ATELIERS DU PRINTEMPS

Petites Souris

Ingrédients

- 100 g de noix de coco râpée
- 100 g de lait concentré sucré
- 125 g de sucre glace
- Billes de sucre
- Fils de réglisse
- Pastilles de couleur (Smarties)

Voilà de quoi passer un bon moment. Nous imaginons une famille de petites souris toutes un peu différentes, allongées, dodues, les oreilles vertes ou rouges, les queues courtes ou longues, le petit museau malicieux ou féroce.... Puis nous inventons une histoire avant de les engloutir.

Astuce : si tu veux les colorer, ajoute 1 goutte de colorant dans la pâte.

1

Ajoute la noix de coco au lait concentré sucré et mélange bien.

2

Ajoute ensuite le sucre glace et mélange afin d'obtenir une pâte assez dense.

3

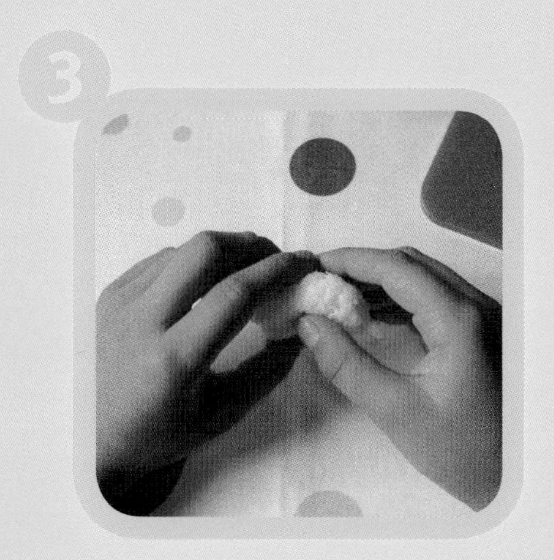

Prends un petit morceau de pâte et façonne le corps de la souris.

4

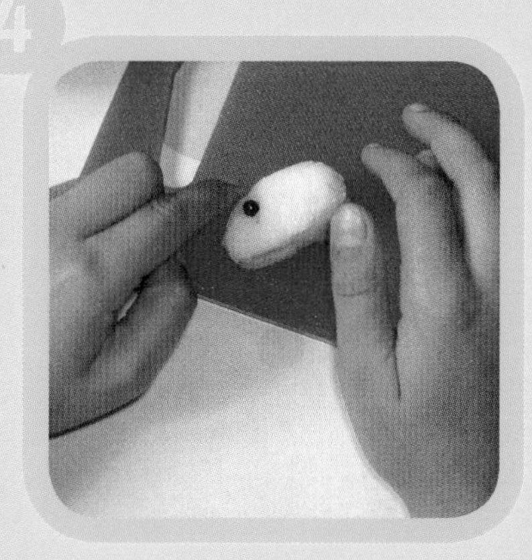

Ajoute les Smarties pour figurer les yeux.

5

Ajoute un fil de réglisse en la piquant pour figurer la queue.

6

Ajoute les oreilles (Smarties).

Muffins au romarin

ENFIN UNE RECETTE SALÉE ! LES MUFFINS VIENNENT D'ANGLETERRE, CE SONT DE PETITS PAINS RONDS CUITS DANS UN MOULE PARTICULIER ET QUI SE MANGENT GÉNÉRALEMENT GRILLÉS AVEC DU BEURRE. JE TE PROPOSE UNE VERSION SALÉE.

Ingrédients

- 375 G DE FARINE AVEC LEVURE
- 40 G DE PARMESAN
- 1 PINCÉE DE SEL
- 175 G D'OLIVES NOIRES DÉNOYAUTÉES
- 2 C. À S. DE ROMARIN FRAIS
- 2 ŒUFS
- 25 CL DE LAIT
- 125 G DE BEURRE AMOLLI

Matériel

- 2 BOLS
- 1 CUILLÈRE EN BOIS
- 1 COUTEAU
- 1 PLANCHE À DÉCOUPER
- 1 FOUET
- CAISSETTES EN PAPIER
- 1 PLAQUE À MUFFINS

1

Mets la farine et le parmesan dans un bol et ajoute la pincée de sel.

2

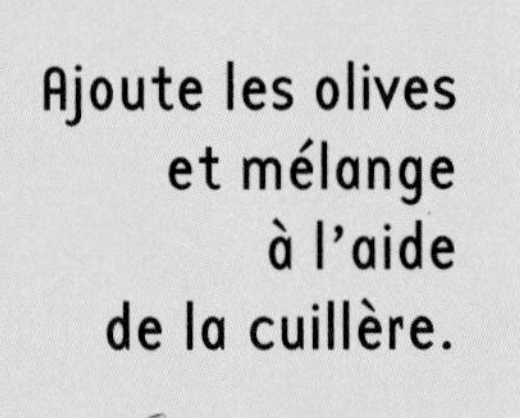

Ajoute les olives et mélange à l'aide de la cuillère.

3

Coupe le romarin
finement
sur la planche
et ajoute-le
au mélange
précédent.

4

Bats les œufs
avec le lait à l'aide
du fouet dans
un autre bol
puis ajoute
le beurre fondu.

5

Mélange
le tout.

Astuce !
À déguster
en apéritif ou avec
une grande salade
bien moutardée !

6

Remplis les caissettes
placées dans la plaque
à muffins aux
trois quarts et fais cuire
au four à 180 °C
pendant 20 min.

Tartes à la crème

Ingrédients

- 1 pâte brisée
- 5 g de farine
- 25 cl de crème fraîche
- 2 œufs entiers
- 2 jaunes
- 60 g de sucre en poudre
- 1 sachet de sucre vanillé
- fleurs en sucre

Matériel

- 4 moules à tarte
- 1 couteau
- 1 bol
- 1 cuillère en bois
- 1 fouet

En Alsace, ces petites tartes se font beaucoup, surtout quand ce n'est pas encore la saison des fruits. Elles sont moelleuses et parfumées à la vanille. Les fleurs en sucre annoncent les beaux jours.

Astuce !
Se déguste tiède ou froid.

Étale la pâte et dépose les moules à tarte dessus. Découpe la pâte avec le couteau.

Mets les fonds de pâte dans les moules.

Mélange les ingrédients du flan dans le bol à l'aide de la cuilllère en commençant par délayer la farine avec la crème.

Ajoute les œufs et les jaunes.

Ajoute les sucres et mélange bien au fouet.

Verse dans les moules et fais cuire au four à 160 °C pendant 20 min. Les flans gonflent beaucoup. Attends que les tartes refroidissent et décore avec les fleurs en sucre.

Petits-fours de printemps

VOICI DE QUOI ÉGAYER TON GOÛTER QUAND IL NE FAIT PAS TRÈS BEAU. AMUSE-TOI À AVEC LES COLORANTS. LES PLUS COURANTS SONT LE JAUNE, LE ROUGE ET LE VERT.

Ingrédients

- 1 ŒUF
- 90 G DE FARINE AVEC LEVURE
- 50 G DE BEURRE AMOLLI
- 50 G DE SUCRE EN POUDRE
- 1 C. À C. DE JUS DE CITRON
- SUCRE GLACE
- COLORANTS
- DÉCORATIONS EN SUCRE

Matériel

- 1 BOL
- 1 CUILLÈRE EN BOIS
- 1 PETITE CUILLÈRE
- PETITS MOULES EN PAPIER

1

Casse l'œuf dans le bol et ajoute la farine. Mélange le tout vivement avec la cuillère en bois.

2

Ajoute le beurre amolli et mélange afin qu'il se dissolve dans la pâte.

3

Ajoute enfin
le sucre
et mélange bien.

4

À l'aide de la petite cuillère, dépose des petits tas dans les moules en papier sans les remplir. Fais cuire au four à 160 °C pendant 15 min.

Variante : parfume la pâte en rajoutant de l'eau de fleur d'oranger, des zestes de citron ou d'orange.

5

Prépare le glaçage en pressant un peu de citron dans du sucre glace. Ajoute aussi du colorant et mélange jusqu'à ce que tu obtiennes la consistance d'une pâte un peu épaisse.

6

Dépose le glaçage sur les petits-fours refroidis.
Pose ensuite les décorations en sucre.

Bouchées choc-fruits

**CET ATELIER EST TRÈS DÉLICAT ;
LE CHOCOLAT DOIT ÊTRE BIEN DUR
POUR NE PAS SE BRISER EN MIETTES LORSQUE
TU ENLÈVERAS LE PAPIER.**

Ingrédients

- 1 PLAQUE DE CHOCOLAT NOIR
- 1 PETIT BOL DE FRUITS ROUGES

Matériel

- 1 BOL
- 1 CUILLÈRE EN BOIS
- CAISSETTES EN PAPIER
- 1 PINCEAU
- 1 ASSIETTE

1

Fais fondre le chocolat dans le bol au bain-marie dans 75 cl d'eau très chaude en remuant à l'aide de la cuillère en bois.

2

Badigeonne généreusement de chocolat l'intérieur des caissettes à l'aide du pinceau.

3

Laisse sécher sur l'assiette.

4

Enlève délicatement les papiers.

Idée fête !
Tu peux garnir les bouchées de crème Chantilly parfumée à la vanille.

5

Garnis de fruits rouges.

Bracelet fraises

Ingrédients

- Fraises (bonbons)
- Feuilles de pain azyme vert

Matériel

- Ciseaux
- Fil élastique
- Aiguille

Qui va faire mourir de jalousie ses copines ou rougir de bonheur ses petites amies ? C'est toi ! Alors, dépêche-toi !

1. Fais le modèle de ton bracelet et coupe une petite longueur de fil en fonction de ton poignet.

2. Enfile l'aiguille.

Pique et enfile
3 fraises puis
1 feuille comme
si c'était des perles.
Recommence
ce montage
deux fois.

Fais un nœud
bien serré.

Attention !
Les bonbons fraises
durcissent vite à l'air,
conserve-les dans
un bocal hermétique.

Idée :
offre le bracelet dans une
jolie boîte ou un petit sac.

Coupe le fil
qui reste et
fais glisser 1 fraise
sous le nœud
pour le dissimuler.

Tartelettes au citron

Ingrédients

- 1 pâte brisée
- 1 pot de lemond curd
- Quelques vermicelles au chocolat

Matériel

- 1 petit verre
- 1 moule souple
- 1 plaque à four
- 1 grille
- 1 cuillère

Parfaites pour un petit buffet entre amis. Transforme-toi en petit pâtissier et réalise des petites tartes au citron.

1

Déroule la pâte et découpe des disques dans la pâte à l'aide du petit verre.

Dépose la pâte sur le moule en pressant avec un doigt pour qu'elle en épouse la forme. Recommence plusieurs fois l'opération puis fais cuire les fonds de tarte placés sur la plaque à four au four à 180 °C pendant 20 min.

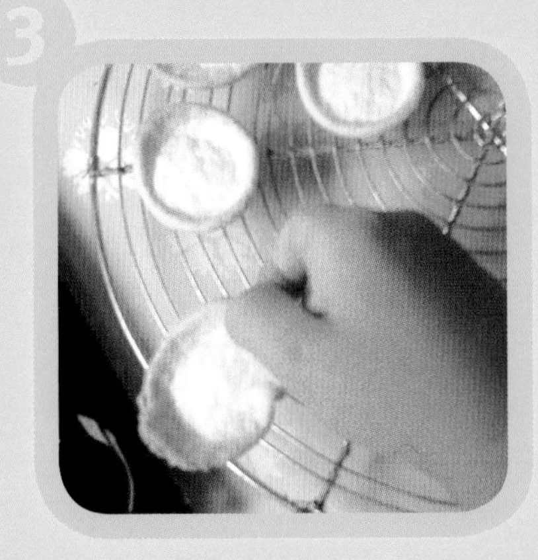

Démoule-les sur la grille et attend qu'ils refroidissent.

Garnis de 1 c. à c. de lemond curd.

Astuce ! Tu peux utiliser aussi de la marmelade d'oranges ou de la crème de marrons.

Décore avec des vermicelles au chocolat.

Corbeilles ave des framboises

Ingrédients

- 1 BARRE DE PÂTE D'AMANDES
- 1 PAQUET DE TUILES AUX AMANDES
- 1 BOUQUET DE FEUILLES DE MENTHE
- 1 BARQUETTE DE FRAMBOISES

AVEC L'ARRIVÉE DES BEAUX JOURS ET DE LA CHALEUR, ON N'A PAS TOUJOURS ENVIE D'ALLUMER LE FOUR. VOICI, AVEC UN PEU DE BRICOLAGE, UN PETIT DESSERT AUSSI BEAU QUE BON QUI ACCOMPAGNERA UNE GLACE OU UN SORBET.

1

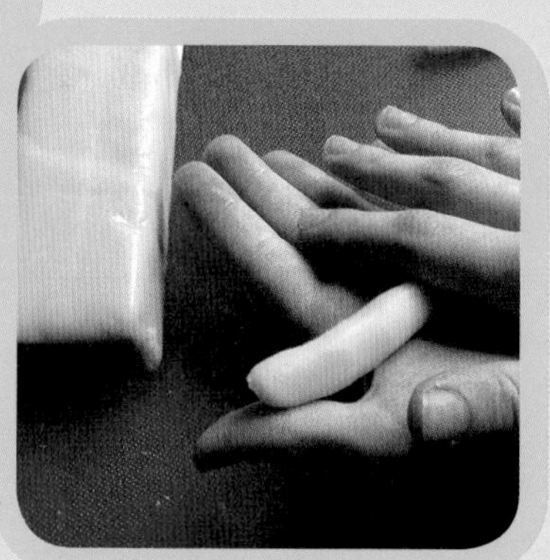

Roule 1 morceau de pâte d'amandes dans tes mains afin d'obtenir un rouleau pas trop épais.

2

Tapisse chaque tuile de menthe.

3

Ajoute les framboises.

4

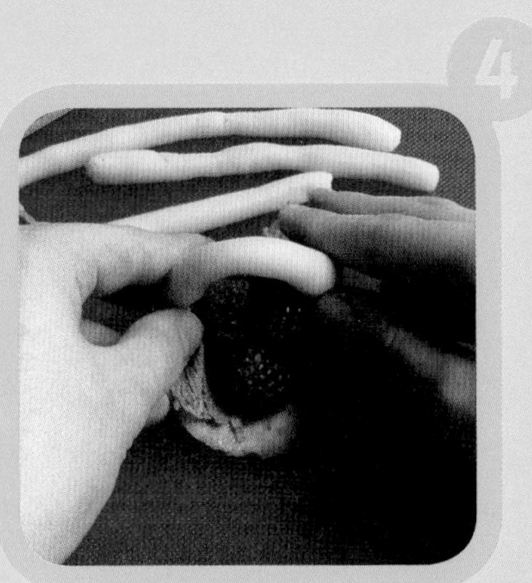

Fixe une anse en pâte d'amandes en la piquant des deux côtés de chaque tuile et décore avec des petites feuilles de menthe.

Astuce !
Tu peux utiliser des Carambars que tu ramolliras dans tes mains pour façonner les anses.

Panier de printemps

UN PEU DE FRAÎCHEUR ET DE VERDURE AVEC UN PETIT BOUQUET DE LÉGUMES À CROQUER. FAIS TON MARCHÉ EN CHOISISSANT LES LÉGUMES QUE TU AIMES ET ESSAIE DE LES TROUVER DE PETITE TAILLE.

Ingrédients

- 1 BOTTE DE RADIS AVEC FEUILLES, CONCOMBRE, FENOUIL, POUSSES D'ÉPINARD, PERSIL PLAT, CAROTTES, PETITES TOMATES...
- 3 VOL-AU-VENT
- 2 C. À S. DE MOUTARDE DOUCE
- 2 PETITS-SUISSES
- 1 CITRON

Matériel

- 1 COUTEAU
- 1 PLANCHE À DÉCOUPER
- 1 CUILLÈRE EN BOIS
- 1 PETIT BOL
- 1 ASSIETTE

1

Lave puis prépare les légumes. Coupe la tige et la queue des radis, gratte les carottes avec le couteau, coupe en deux le fenouil et les courgettes en bâtonnets sur la planche...

2

Découpe puis enlève un peu de fond des vol-au-vent.

3

Prépare
une petite sauce
en mélangeant avec
la cuillère la moutarde
douce avec les petits-
suisses dans le bol.

4

Presse le citron
dans le mélange
précédent.

5

Mets 2 ou 3 cuillerées
de sauce dans le fond
des vol-au-vent.

6

Dispose joliment
les légumes en les serrant
afin qu'ils tiennent droit.
Pose quelques feuilles vertes
sur l'assiette et pose
les vol-au-vent dessus.

Idée :
à servir
comme petite entrée
ou en apéritif.

Dessert rose

Ingrédients

- 125g de mascarpone
- 3 gouttes d'essence de vanille
- 1 paquet de biscuits roses de Reims
- 1 barquette de framboises ou de fraises
- Feuilles de menthe

Matériel

- 1 bol
- 1 cuillère

Voici une façon de réaliser vite fait bien fait un ravissant petit dessert. Tu raffoleras du croquant du biscuit rose associé au mascarpone et à la douceur de la framboise ou de la fraise.

1

Mets le mascarpone dans le bol et ajoute les gouttes de vanille. Mélange avec la cuillère.

2

Dépose et étale 1 c. à s. de ce mélange sur le dessus des biscuits roses.

Idée déco :
présente les biscuits sur un plat à pied.

3 Ajoute les framboises.

4 Décore de feuilles de menthe.

Cake aux raisins

Gâteau très classique et incontournable, le cake fera plaisir aux grands comme aux petits. La recette est simple, mais il faut respecter l'ordre des ingrédients pour que les raisins secs se dispersent dans la pâte.

Ingrédients

- 75g de beurre amolli
- 75 g de sucre en poudre
- 1 œuf
- 75 g de farine avec levure
- 30 g de raisins secs
- Sucre glace pour la décoration

Matériel

- 1 bol
- 1 cuillère en bois
- 1 moule à cake
- 1 grille

Astuce !
Tu peux faire un glaçage à l'orange avec un jus d'orange frais pressé et du sucre glace.

1

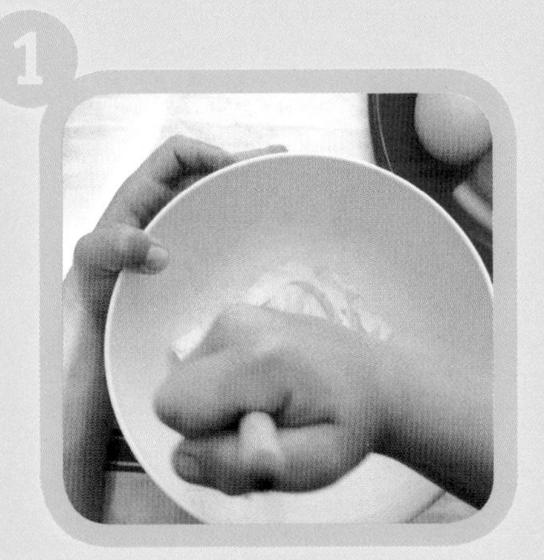

Tourne le beurre dans le bol avec la cuillère afin qu'il soit bien mou.

2

Ajoute le sucre et mélange vivement.

3

Casse l'œuf et remue.

4

Ajoute la farine puis les raisins secs.
Tu obtiens une pâte assez souple.

5

Rempli le moule et fais cuire au four à 160 °C pendant 20 min.

6

Démoule le cake sur la grille
et attends qu'il refroidisse.
Saupoudre-le de sucre glace.

Poissons d'avril pailletés

AUJOURD'HUI 1ER AVRIL, ON VOIT DES POISSONS PARTOUT. VOICI DE JOLIS PETITS POISSONS PAILLETÉS À DÉVORER POUR LE DESSERT OU À OFFRIR DANS UNE JOLIE BOÎTE EN MÊME TEMPS QU'UNE CANNE À PÊCHE ! POISSON D'AVRIL !

Ingrédients

- 1 PETIT VERRE DE FARINE
- 1 BOULE DE PÂTE (VOIR INTRODUCTION, LA PÂTE AUX ZESTES DE CITRON)
- 1 PETIT VERRE DE LAIT
- SUCRE EN POUDRE DE COULEUR
- BILLES ARGENTÉES POUR LES YEUX

Matériel

- 1 ROULEAU À PÂTISSERIE
- 1 COUTEAU POINTU
- 1 FEUILLE DE PAPIER SULFURISÉ
- 1 PLAQUE À FOUR
- 1 PINCEAU

1

Mets un peu de farine sur ton plan de travail et étale la pâte au rouleau.

2

Dessine puis coupe des formes de poissons à l'aide du couteau.

3

Mets la feuille de papier sulfurisé sur la plaque à four. Dépose délicatement les poissons dessus.

4

Badigeonne-les tous de lait à l'aide du pinceau.

5

Décore avec le sucre et fais cuire au four à 180 °C pendant 20 min.

6

Dépose 1 bille argentée sur chaque poisson.

Astuce !
Cette pâte au beurre ramollit très vite. Tu peux la mettre au réfrigérateur pour la faire durcir.

Œufs de Pâques

Ingrédients

- 1 pâte feuilletée
- 2 c. à s. de miel
- Pastilles de couleur

Matériel

- 1 rouleau à pâtisserie
- 1 emporte-pièce ovale en forme d'œuf
- 1 plaque à four
- 1 feuille de papier sulfurisé
- 1 pinceau

Il y a toujours des œufs en chocolat pour Pâques ! Pourquoi pas, cette année, ajouter de jolis petits œufs en pâte feuilletée décorés de pastilles de couleur ?

1

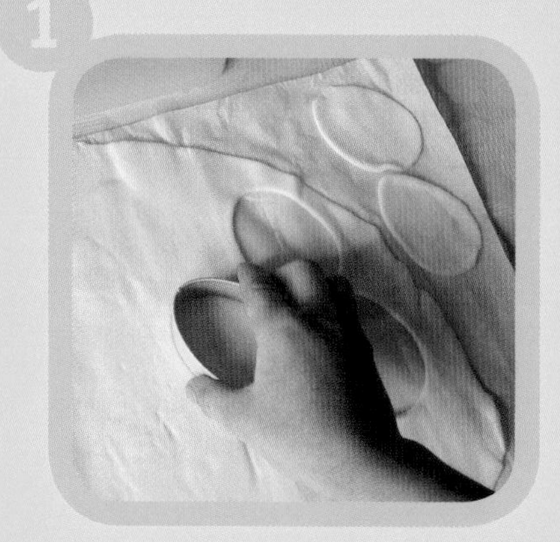

Étale la pâte feuilletée au rouleau et découpe à l'emporte-pièce des formes d'œuf; surtout, ne pique pas la pâte avec une fourchette.

2

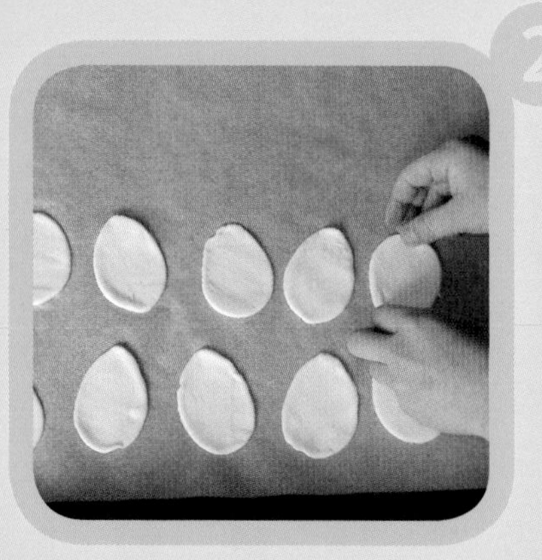

Dépose délicatement les formes sur une plaque à four recouverte de papier sulfurisé et fais cuire au four à 180 °C pendant 20 min environ.

Astuce !
Essaie de trouver au moment de Pâques des décorations en sucre en forme de petit poussin, de lapin…

3

Les formes vont gonfler, et tu obtiendras des petits œufs. Badigeonne avec 1 c. à s. d'eau très chaude mélangée à du miel à l'aide du pinceau.

4

Décore avec les pastilles de couleur.

5

Mets les œufs dans une jolie barquette ou dans un œuf de Pâques en carton.

Sablés œufs de Pâques

Pour Pâques cette année, il y aura de jolis sablés en forme d'œufs de toutes les couleurs !

Ingrédients

- 1 pâte sablée
- 1 jaune d'œuf
- Décorations diverses en sucre de couleur

Matériel

- 1 emporte-pièce ovale
- 1 plaque à four
- 1 feuille de papier sulfurisé
- 1 pinceau

1

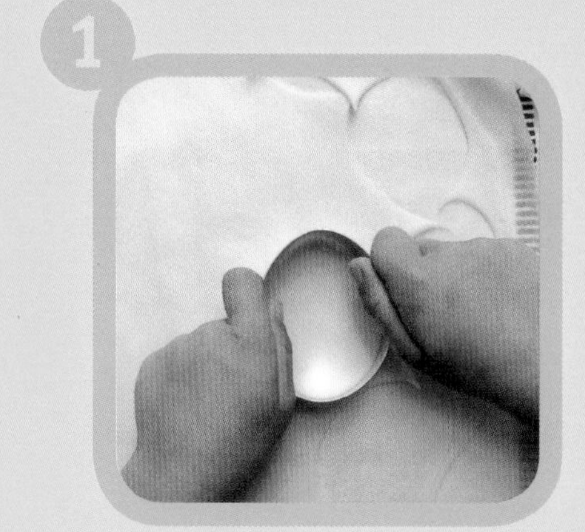

Déroule la pâte et découpe des formes d'œuf à l'emporte-pièce.

2

Dépose-les sur la plaque à four recouverte de papier sulfurisé.

3

Recouvre toute
la surface des œufs
de jaune d'œuf
à l'aide du pinceau.

4

Décore.
Tous les sablés
doivent
être décorés.

Astuce !
Sans emporte-pièce
ovale, découpe un rond
et appuie doucement
sur les côtés pour le
rendre ovale.

5

Fais cuire
au four à 160 °C
pendant 10 min.

Œufs au plat

Un petit dessert qui va épater et faire rire tes amis. De vrais « faux » œufs au plat avec un peu de graines de vanille. Mais les œufs au plat, ce n'est pas un plat salé ?

Ingrédients

- Abricots
- Sucre en poudre
- Fromage lisse
- Graines de vanille

Matériel

- 1 couteau

1

Coupe les abricots en deux et enlève le noyau.

2

Sucre le fromage blanc et mélange bien.

3

Dépose 3 ou 4 c. à c. de fromage blanc en faisant un disque.

4

Place 1 moitié d'abricot bien au centre.

Conseil : avril n'étant pas la saison des abricots, utilise des abricots ou des pêches en boîte.

5

Parsème de graines de vanille.

Nids en meringue

Ingrédients

- 3 BLANCS D'ŒUFS
- 1 PINCÉE DE SEL
- 175 G DE SUCRE EN POUDRE

Matériel

- 1 BATTEUR
- 1 BOL
- 1 PLAQUE À FOUR
- 1 FEUILLE DE PAPIER SULFURISÉ
- 1 CUILLÈRE

PÂQUES EST UNE FÊTE CHRÉTIENNE QUE L'ON CÉLÈBRE LE PREMIER DIMANCHE SUIVANT LA PLEINE LUNE DE L'ÉQUINOXE DE PRINTEMPS, POUR COMMÉMORER LA RÉSURRECTION DU CHRIST. POUR CETTE OCCASION, PRÉPARE-TOI DE BONNES CHOSES.

1

Bats les blancs en neige bien ferme dans le bol avec le sel.

2

Incorpore ensuite tout doucement le sucre sans cesser de battre.

3

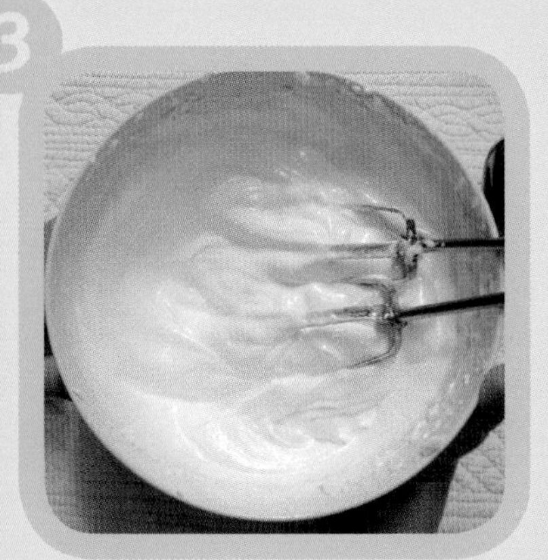

Tu dois obtenir un mélange brillant et lisse.

4

Étale le mélange sur la plaque à four recouverte du papier sulfurisé en formant des disques à l'aide du dos de la cuillère.

Astuce !
Installe les nids en meringue sur de l'herbe verte et garnis-les d'œufs en chocolat.

Fais cuire au four à 140 °C pendant 15 min et laisse refroidir dans le four.

5

Sucres à l'eau de fleur d'oranger

Autre idée pour la fête des Mères : des petits sucres parfumés de couleur... Tu peux bien évidemment varier les essences, les formes et les couleurs. L'eau de fleur d'oranger se marie parfaitement avec un café noir.

Ingrédients

- 1 c. à s. de blanc d'œuf
- 1 c. à c. d'eau de fleur d'oranger
- 2 c. à c. de jus de citron
- 250 g de sucre glace
- 1 goutte de colorant jaune

Matériel

- 1 bol
- 1 cuillère en bois
- 1 cuillère
- Petits emporte-pièce
- 1 feuille de film alimentaire

Astuce !
Si la pâte te paraît trop liquide, rajoute du sucre glace.

Mets le blanc d'œuf dans le bol.
Ajoute l'eau de fleur d'oranger.

Ajoute le jus de citron et mélange bien avec la cuillère en bois.

Fais un puits avec la cuillère en bois dans le sucre glace et ajoute le mélange liquide. Mélange, tu dois obtenir une texture lisse et brillante.

Ajoute le colorant et mélange encore.

Remplis les formes. Laisse bien sécher sur le film alimentaire.

Démoule en appuyant doucement avec les doigts.

Pièce monté pour maman

Ingrédients

- 10 MERINGUES PÂTISSIÈRES DE FORME RONDE
- 50 CL DE SORBET À LA FRAMBOISE
- ROSES ET FEUILLES EN PÂTE D'AMANDES

Matériel

- 1 ASSIETTE
- 1 CUILLÈRE

RÉALISE UNE PIÈCE MONTÉE POUR TA MAMAN ET DÉCORE-LA COMME LES GRANDS PÂTISSIERS. ACHÈTE DE PRÉFÉRENCE LES MERINGUES CHEZ TON BOULANGER, ELLES SERONT PLUS MOELLEUSES.

1

Dépose les meringues sur l'assiette.

2

À l'aide de la cuillère et de tes doigts, forme des boules de sorbet que tu déposeras entre les meringues.

Truc de chef : le sorbet fond très vite, forme tes boules de sorbet et remet-les au congélateur pour qu'elles durcissent.

3

Ajoute des meringues en les plaçant sur le sorbet pour que cela tienne bien.

4

Rajoute une grosse boule de sorbet au milieu des meringues.

5

Coiffe la pièce montée d'une dernière meringue et commence à décorer.

6

Place des petites roses et des feuilles vertes en pâte d'amandes.

LES ATELIERS DU PRINTEMPS

Cigares pour papa

Eh oui, après la fête des Mères, il y a aussi une fête des Pères ! Les papas, en général, aiment beaucoup le chocolat et les douceurs. Voici une idée de cadeau aussi jolie que délicieuse.

Ingrédients

- 1 paquet de feuilles de brick
- 1 paquet de pépites de chocolat noir
- 50 g de nougatine en poudre
- 2 c. à s. d'huile
- Un peu de sucre en fonction des goûts de ton papa

Matériel

- 1 cuillère
- 1 plaque à four
- 1 feuille de papier sulfurisé

Idée : empile tes cigares et entoure-les d'un ruban. N'oublie pas d'y glisser un dessin ou une lettre pour ton papa.

Déplie chaque feuille de brick et dépose des pépites de chocolat en ligne près du bord.

Ajoute ensuite de la nougatine.

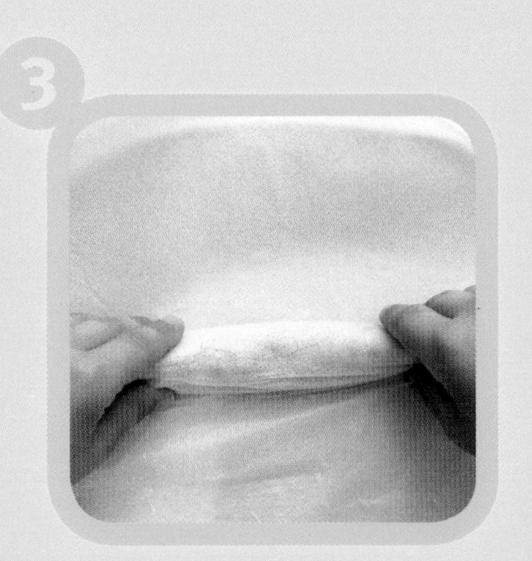

Roule avec tes deux mains en serrant bien la feuille de brick.
Fais de même avec les autres feuilles de brick.

Avec le dos de la cuillère, badigeonne avec un peu d'huile pour que les feuilles de brick soit bien croustillantes et dorées.

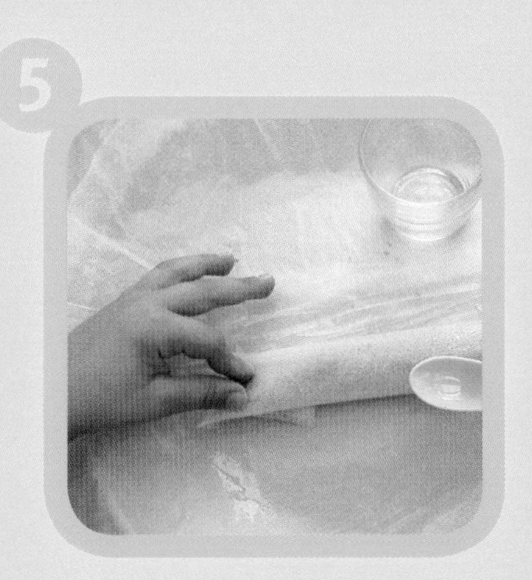

Replie les deux extrémités de chaque rouleau en les soudant avec l'huile et dispose le tout sur la plaque à four recouverte du papier sulfurisé.

Saupoudre d'un peu de sucre et fais cuire au four à 180 °C pendant 5 min.

Grands sablés pour la fête des Mères

Ingrédients

- 1 rouleau de pâte sablée
- Confiture de groseilles
- Fraises
- Sucre glace

Matériel

- 1 couteau
- 1 fourchette
- 1 plaque à four
- 1 feuille de papier sulfurisé

Sablés à faire avec papa, car très vite faits et délicieux. À offrir avec un beau dessin le matin de la fête des Mères.

1

Découpe des cœurs dans la pâte à l'aide du couteau.

2

Pique avec la fourchette pour que la pâte ne gonfle pas. Dépose les cœurs sur la plaque à four recouverte de papier sulfurisé. Fais cuire au four à 180 °C pendant une dizaine de minutes.

3

Étale la confiture sur toute la surface des cœurs.

4

Dépose les fraises entières.

Conseil : prépare les biscuits la veille, les sablés seront bien croquants et tu pourras les décorer sans qu'ils se brisent.

5

Saupoudre de sucre glace pour faire joli.

Construction pour la Saint-Jean 150

Feuilles de menthe cristallisées 152

Pétales de rose cristallisés 154

Petit gâteau express 156

Miniglaces croustillantes 158

Glaces au citron 160

Tartelettes vitaminées 162

Abricots façon crumble 164

Pêches aux groseilles 166

Trésors des bois 168

Cocktails d'été 170

Clafoutis aux groseilles 172

Fleurs de courgettes jaunes 174

Tartelettes aux mûres 176

Drapeaux du 14 Juillet 178

Coquillages au chocolat 180

Phare des pirates 182

Brochettes sucrées 184

Palmiers salés 186

Truffes de chèvre aux épices 188

Pizzas fleurs 190

LES ATELIERS DE L'ÉTÉ

LES ATELIERS DE L'ÉTÉ

Construction pour la Saint-Jean

Ingrédients

- 1 PAQUET DE BOUDOIRS
- 1 POT DE CONFITURE DE FRAISES
- 1 BARQUETTE DE FRAISES

Matériel

- 1 CUILLÈRE
- 1 ASSIETTE

La Saint-Jean se fête le 24 juin. Cette fête traditionnelle célèbre la naissance de Saint Jean-Baptiste, le cousin de Jésus. Dans les campagnes, on construit un grand bûcher que l'on brûle dès la tombée de la nuit. Les enfants dansent autour de ce feu de joie et les parents discutent. Le petit dessert proposé est une construction faite de biscuits montés les uns sur les autres et soudés avec de la confiture.

Conseil : prépare ou achète de la crème anglaise pour servir avec ton dessert. Tu la présenteras à part dans un pichet.

Prends 1 boudoir et pose 1 noix de confiture de chaque côté à l'aide de la cuillère.

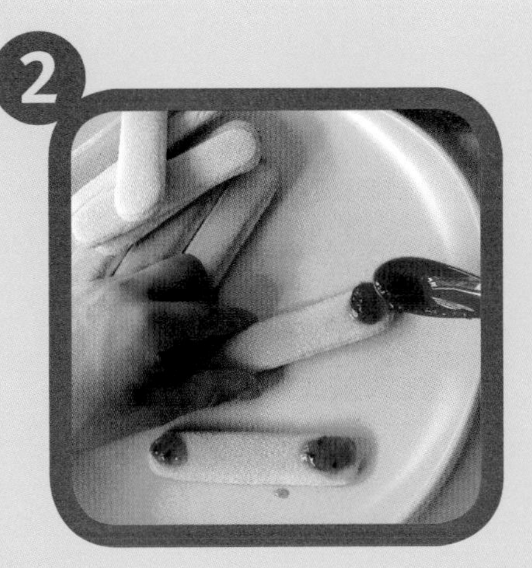

Prends en second boudoir et fais la même chose.

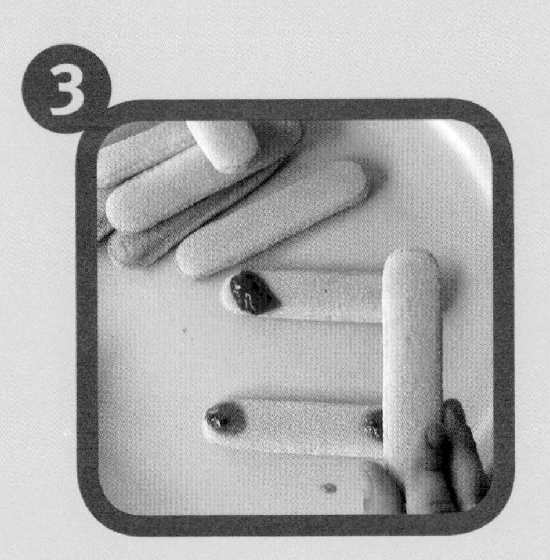

Pose-les de façon parallèle dans l'assiette et recommence les deux premières opérations.

Pose les boudoirs en sens inverse sur la confiture et recommence l'opération.

Monte une tour de trois étages.

Remplis la tour de fraises en les posant doucement.

Feuilles de menthe cristallisées

Ingrédients

- 1 BOTTE DE FEUILLES DE MENTHE FRAÎCHE
- 1 BLANC D'ŒUF TRÈS FRAIS
- SUCRE EN POUDRE
- SUCRE GLACE

Matériel

- 1 PINCEAU

EN TREMPANT LES FEUILLES DE MENTHE DANS DU BLANC D'ŒUF PUIS DU SUCRE CRISTALLISÉ, TU OBTIENDRAS DES FEUILLES SUCRÉES ET CROQUANTES À LA MENTHE. CES JOLIES FEUILLES VERTES TE SERVIRONT À DÉCORER DES GÂTEAUX, DES TARTES, UNE SALADE DE FRUITS...

1

Détache doucement les feuilles de menthe de la tige.

2

Badigeonne de blanc d'œuf les deux côtés de chaque feuille à l'aide du pinceau.

Trempe ensuite les feuilles dans le sucre en poudre et pose-les sur une planche pour qu'elles sèchent. Attends pendant 1 h environ.

Saupoudre de sucre glace.

Idée cadeau maison : achète ou fabrique une jolie boîte et offre tes feuilles cristallisées.

Pétales de rose cristallisés

TU VAS ÉPATER TON ENTOURAGE EN DÉCORANT TES GÂTEAUX OU AUTRES DESSERTS DE PÉTALES DE ROSE CRISTALLISÉS. C'EST RAVISSANT ET CELA SENT TRÈS BON. C'EST AUSSI UNE JOLIE IDÉE DE CADEAU.

Ingrédients

- 1 ŒUF
- 1 VERRE DE SUCRE CRISTALLISÉ
- ROSES

Matériel

- 1 BOL POUR LE BLANC
- 1 FOURCHETTE
- 2 ASSIETTES

Astuce !
Se conserve très bien dans un bocal ou une boîte hermétique.

Casse l'œuf et sépare le blanc du jaune.
Mets le blanc dans le bol.

À l'aide de la fourchette,
bats légèrement le blanc.

Verse le sucre cristallisé dans une assiette.

Détache délicatement les pétales des roses.

Trempe rapidement les pétales
dans le blanc d'œuf.

Trempe-les ensuite dans le sucre.
Laisse sécher les pétales pendant 1 h environ
sur une autre assiette.

LES ATELIERS DE L'ÉTÉ

Petit gâteau express

COMME SON NOM L'INDIQUE, LA CONFECTION DE CE GÂTEAU EST TRÈS RAPIDE. IL NE CONTIENT PAS DE BEURRE MAIS DE LA CRÈME FRAÎCHE ET UN PEU D'HUILE.

Ingrédients

- 5 C. À S. DE FARINE
- 4 C. À S. DE SUCRE EN POUDRE
- 3 C. À S. DE CRÈME FRAÎCHE
- 2 C. À S. D'HUILE
- 1 ŒUF
- 1/2 SACHET DE LEVURE CHIMIQUE
- 2 POMMES
- 1 VERRE DE FRAMBOISES
- QUELQUES PÉTALES DE ROSE CRISTALLISÉS

Matériel

- 1 BOL
- 1 CUILLÈRE EN BOIS
- 1 MOULE À CAKE
- 1 ÉPLUCHE-LÉGUMES
- 1 COUTEAU
- 1 GRILLE

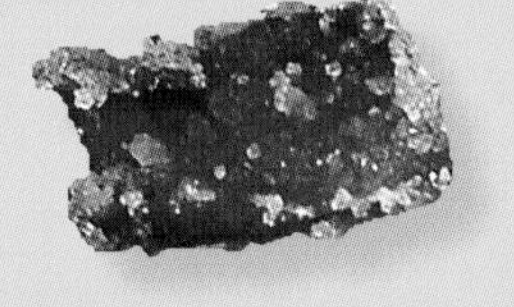

1

Dépose la farine dans le bol.

2

Ajoute le sucre et mélange avec la cuillère.

3

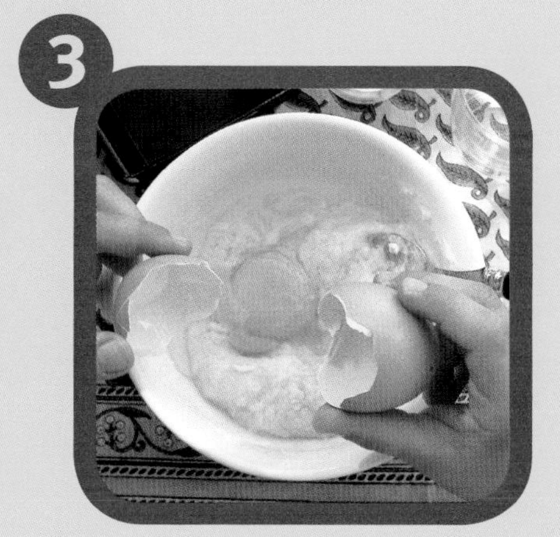

Ajoute ensuite
la crème fraîche,
l'huile et l'œuf.
Mélange bien
le tout.

Astuce !
Tu peux utiliser
d'autres fruits comme
des poires, des prunes,
des abricots, ou
des pêches.

4

Ajoute enfin
la levure chimique,
remue et verse
la pâte dans
le moule à cake.

5

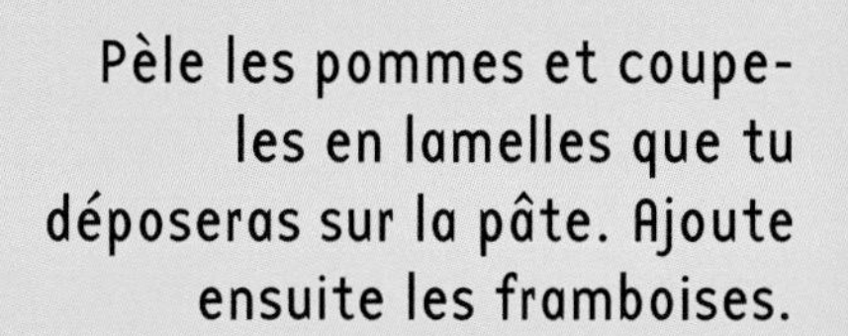

Pèle les pommes et coupe-
les en lamelles que tu
déposeras sur la pâte. Ajoute
ensuite les framboises.

6

Fais cuire au four
à 160 °C pendant
20 min. Démoule
le cake et
laisse-le refroidir
sur la grille. Décore
avec les pétales
de rose cristallisés.

LES ATELIERS DE L'ÉTÉ

Miniglaces croustillantes

Ingrédients

- 3 c. à s. de crème épaisse
- 3 petits-suisses à 40 %
- 1 c. à s. de sucre en poudre
- Quelques céréales au chocolat, des Smarties ou des confettis multicolores en sucre...

Matériel

- 1 bol
- 1 cuillère
- Godets en plastique
- Cuillères en plastique

AUJOURD'HUI, LE MAÎTRE GLACIER, C'EST TOI ! EN FONCTION DE TON HUMEUR, DE TON IMAGINATION ET DE TES ENVIES, CONFECTIONNE DE JOLIES PETITES GLACES DE TOUTES LES COULEURS...

1

Ajoute la crème aux petits-suisses dans le bol et mélange bien avec la cuillère.

2

Mets le sucre, goûte, tu peux en rajouter si nécessaire.

3

Dépose quelques confettis, des Smarties ou des céréales dans le fond de tes godets.

4

Remplis-les du mélange crémeux et, si tu veux, rajoute des Smarties, des céréales ou des confettis.

Conseil : pour démouler facilement les glaces, passe-les rapidement sous l'eau chaude.

Astuce ! Si tu n'as pas de godets en plastique, utilise des pots de yaourt ou de petit-suisse.

5

Plante une cuillère en plastique dans le milieu de chaque godet et décore à nouveau. Laisse pendant 2 h environ au congélateur.

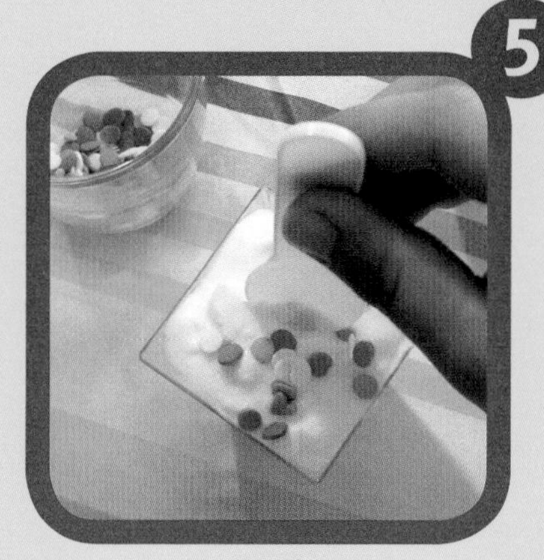

Glaces au citron

LES GLACES À L'EAU SONT UN GRAND CLASSIQUE. FAIS-LES AVEC DU JUS DE VRAIS FRUITS, C'EST VRAIMENT DÉLICIEUX ET TRÈS SAIN. TA MAMAN TE LAISSERA TRÈS CERTAINEMENT EN DÉGUSTER PLEIN SI TU NE METS PAS TROP DE SUCRE.

Ingrédients

- 2 CITRONS
- 2 C. À S. DE SUCRE

Matériel

- 1 COUTEAU
- 1 PRESSE-AGRUMES
- 1 BOL
- 1 CUILLÈRE
- 1 APPAREIL À FAIRE DES GLAÇONS EN BÂTONNETS

1

Coupe les citrons en deux et presse le jus que tu verseras au fur et à mesure dans le bol.

2

Ajoute
25 cl d'eau.

3

Ajoute
le sucre.

4

Mélange
pendant 2 min
avec la cuillère
en tournant
vivement.

Astuce !
Avec du jus
de pamplemousse
ou d'orange, c'est
délicieux aussi.

5

Verse doucement
dans ton appareil
à glaçons et laisse
au congélateur
pendant 1 h
au moins.

Tartelettes vitaminées

VOICI DES PETITES TARTELETTES ORIGINALES QUI SE CROQUENT COMME DE LA PÂTE DE FRUITS. ELLES SONT JOLIES, RAFRAÎCHISSANTES, LÉGÈRES ET SE MANGENT SANS FAIM.

Ingrédients

- 1 C. À C. D'AGAR-AGAR
- 50 CL DE JUS D'ORANGE FRAIS
- BAIES D'ÉTÉ : CASSIS, GROSEILLES, FRAMBOISES

Matériel

- 1 CASSEROLE
- 1 CUILLÈRE
- MOULE À TARTELETTES, SOUPLE DE PRÉFÉRENCE

1

Ajoute l'agar-agar au jus d'orange dans la casserole puis fais cuire comme indiqué sur le sachet.

2

Tourne avec la cuillère pour refroidir un peu.

Variante : varie les jus de fruits. Fais attention, les jus de fruits exotiques ou de fruits rouges ne se gélifient pas.

3

Remplis le moule du jus d'orange cuit.

4

Termine en rajoutant du jus là ou il n'y en a pas assez et attends que la gelée prenne.

5

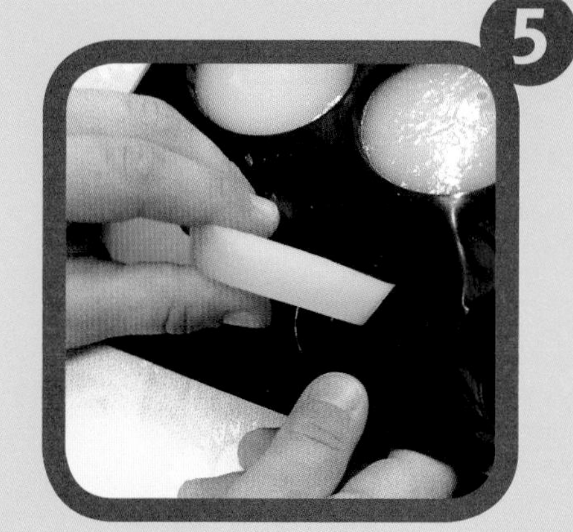

Démoule délicatement et garnis les tartes de fruits.

LES ATELIERS DE L'ÉTÉ

Abricots façon crumble

UNE PETITE IDÉE DE CRUMBLE RAPIDE ET FACILE À RÉALISER. TU PEUX UTILISER DES ABRICOTS MAIS AUSSI DES PÊCHES, DES NECTARINES OU DES BRUGNONS. LE TOUT EST D'AVOIR DES FRUITS À GROS NOYAU AFIN DE POUVOIR METTRE TON MÉLANGE CROUSTILLANT DANS LE TROU.

Ingrédients

- 8 PETITES GALETTES AU BEURRE
- 2 ABRICOTS
- 50 G DE POUDRE D'AMANDES
- 50 G DE SUCRE EN POUDRE
- 25 G DE BEURRE

Matériel

- 4 MOULES À TARTELETTE
- 1 COUTEAU
- 1 RÂPE

1

Dépose 1 galette dans chaque moule.

2

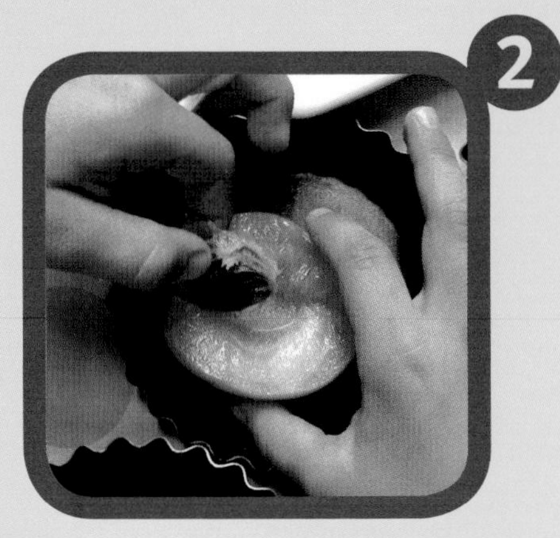

Coupe les abricots en deux dans le sens de la longueur et enlève les noyaux. Dépose 1 moitié d'abricot sur chaque galette.

3

À l'aide de la râpe, frotte et réduit en poudre 1 galette sur chaque moitié d'abricot.

4

Saupoudre ou rajoute 1 c. à c. de poudre d'amandes.

5

Ajoute un peu de sucre, sauf si les abricots sont vraiment très mûrs.

Suggestion : déguste ce dessert tiède accompagné de 1 c. à s. de crème fraîche.

6

Ajoute ensuite 1 noisette de beurre. Fais cuire les tartelettes au four à 160 °C pendant 10 min.

Pêches aux groseilles

DES PÊCHES BIEN MÛRES ET SUCRÉES, MÉLANGÉES À DES GROSEILLES ACIDULÉES... CE PETIT DESSERT D'ÉTÉ EST RAFRAÎCHISSANT ET PLEIN DE VITAMINES.

Ingrédients

- 2 PÊCHES
- 4 PETITS SABLÉS AU BEURRE
- 4 C. À S. DE FROMAGE BLANC À LA LOUCHE (40 %)
- 1 C. À C. DE SUCRE EN POUDRE
- 2 OU 3 GRAPPES DE GROSEILLES
- FEUILLES DE MENTHE

Matériel

- 1 COUTEAU
- 4 ASSIETTES

Astuce !
Pour peler facilement les pêches, passes-les rapidement sous l'eau chaude.

Coupe les pêches en deux. Attention, tes doigts doivent toujours être à l'opposé de la lame du couteau.

Enlève les noyaux et pèle les pêches.

Dépose au centre de chaque assiette 1 sablé puis 1 demi-pêche.

Remplis le cœur de fromage blanc.

Ajoute un peu de sucre.

Dispose quelques groseilles puis décore avec des feuilles de menthe.

Trésors des bois

Ingrédients

- 3 petits-beurre
- 1 paquet de feuilles de brick
- 1 bol de myrtilles
- 3 c. à s. d'huile d'olive

Matériel

- 1 pilon
- Ficelle de cuisine
- 1 cuillère
- 1 plaque à four
- 1 feuille de papier sulfurisé

Tu trouveras et tu pourras ramasser des myrtilles dans les bois au mois d'août. C'est délicieux et très parfumé. Je crois que c'est le Petit Chaperon rouge qui en cueillait en allant voir sa grand-mère...

Idée déco : cache la ficelle avec du lierre, du raphia ou un ruban de couleur.

1

Écrase les petits-beurre à l'aide du pilon.

2

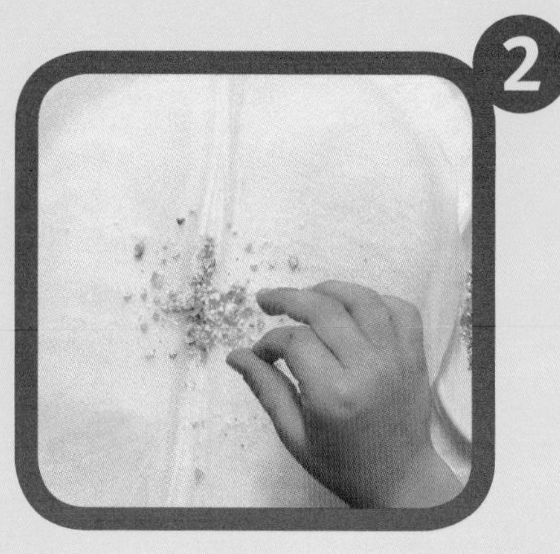

Dépose un petit tas (plus ou moins 1 c. à s.) au centre de chaque feuille de brick.

3 Ajoute 1 poignée de myrtilles.

4 Ramène les bords de chaque feuille de brick vers le centre afin de former une petite bourse.

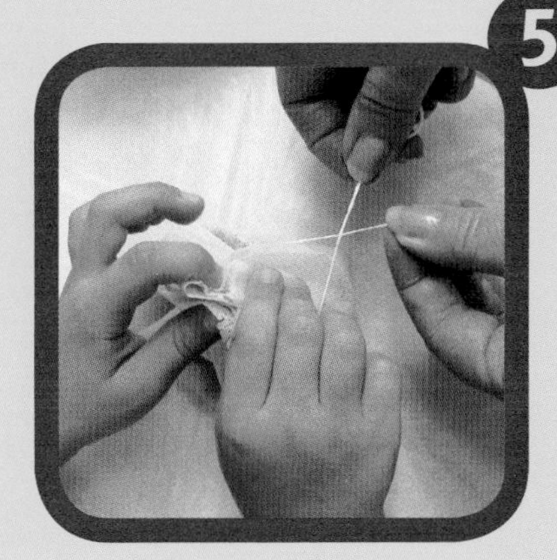

5 Fais-toi aider d'un adulte qui passera la ficelle et fera un nœud pour que cela tienne.

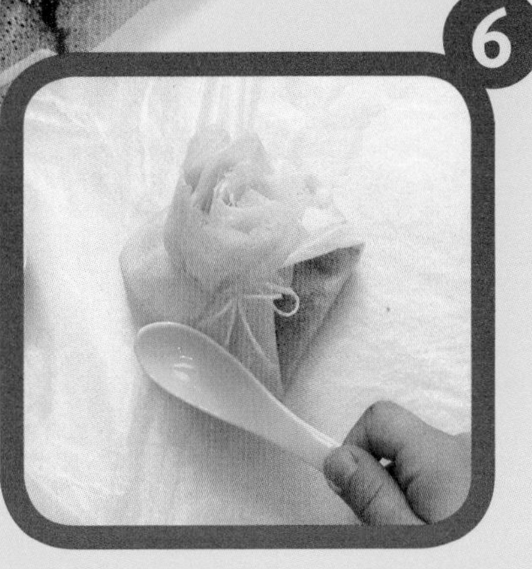

6 Badigeonne les petites bourses d'huile à l'aide du dos de la cuillère. Dépose-les sur la plaque à four recouverte du papier sulfurisé. Fais cuire au four à 160 °C pendant 10 min.

LES ATELIERS DE L'ÉTÉ

Cocktails d'été

PRÉPARE ET PRÉSENTE CETTE PETITE RECETTE DANS DE JOLIS VERRES OU DES COUPES TRANSPARENTES. DÉGUSTE BIEN FRAIS DÈS LE MATIN AU PETIT DÉJEUNER ACCOMPAGNÉ D'UN JUS D'ORANGE PRESSÉ ET D'UN BOL DE CACAO.

Ingrédients

- 1 BOL DE FRUITS ROUGES, FRAISES, GROSEILLES, FRAMBOISES
- 2 C. À C. DE SUCRE EN POUDRE
- 1 VERRE DE MUESLI AUX FRUITS SECS
- 1 VERRE DE FROMAGE BLANC ÉPAIS

Matériel

- 1 BOL
- 1 CUILLÈRE
- 3 VERRES OU COUPES

1

Mélange les fruits rouges dans le bol et ajoute le sucre en poudre.

2

Mélange le tout en écrasant les fruits rouges avec le dos de la cuillère.

Variantes : amuse-toi à inverser l'ordre des couches dans chaque verre.

3

Fais des couches dans les verres transparents ou les coupes, en commençant par exemple comme ci-dessus par 1 c. à s. de muesli.

4

Ajoute 1 c. à s. de fruits rouges.

5

Ajoute du fromage blanc et décore avec quelques fruits rouges. Fais aussi trois couches dans les autres verres.

LES ATELIERS DE L'ÉTÉ

Clafoutis aux groseilles

Ingrédients

- 1 PETIT PANIER DE GROSEILLES
- 1 ŒUF
- 2 C. À S. DE SUCRE EN POUDRE
- 2 C. À S. DE FARINE
- 1 PETIT VERRE DE LAIT

Matériel

- 1 FOURCHETTE
- 3 RAMEQUINS
- 1 PETIT BOL
- 1 CUILLÈRE

UN DESSERT AIGRELET, QUI RAVIRA LES PETITS ET LES GRANDS PALAIS. AMUSE-TOI À ÉGRENER LES GROSEILLES ET FAIS BIEN ATTENTION, CAR ELLES SE SAUVENT TRÈS VITE...

Conseil : déguste ton dessert de préférence tiède ou froid.

Variantes :
- remplace le lait par de la crème fraîche ;
- utilise des cerises aigres si tu n'as pas de groseilles.

À l'aide de la fourchette,
égrène les groseilles dans les ramequins.

Casse l'œuf dans le petit bol
et mélange jaune et blanc avec la cuillère.

Ajoute le sucre et mélange bien.

Ajoute la farine et mélange le tout.

Ajoute enfin le lait et mélange
afin d'obtenir un liquide homogène.

Décore
avec des groseilles
fraîches et
du sucre glace.

Ajoute le mélange aux groseilles
et fais cuire au four à 160 °C de 20 à 25 min.

LES ATELIERS DE L'ÉTÉ

Fleurs de courgettes jaunes

LES COURGETTES JAUNES SONT FONDANTES ET UN PEU SUCRÉES. ON LES TROUVE TRÈS FACILEMENT SUR LES MARCHÉS EN JUILLET-AOÛT. CETTE TARTE ÉVOQUE L'ÉTÉ, LE SOLEIL, LES TOURNESOLS. GARNIE DE ROMARIN ET CUITE, ELLE TE FERA PENSER À UN PAYSAGE D'ÉTÉ.

Ingrédients

- 1 PÂTE BRISÉE
- 125 G DE PARMESAN RÂPÉ
- 3 OU 4 COURGETTES
- 1 BRANCHE DE ROMARIN

Matériel

- 1 MOULE À TARTE
- 1 COUTEAU

Astuce !
Tu peux ajouter un peu d'huile d'olive. Tu peux mélanger des courgettes jaunes et vertes.

Déroule la pâte et dépose-la
dans le moule à tarte en tassant bien la pâte.

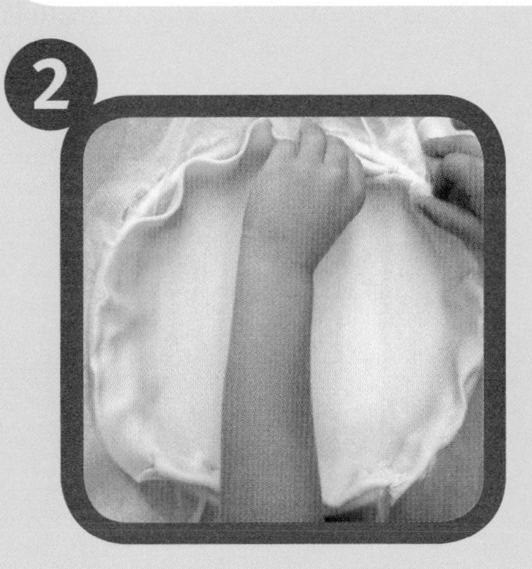

Détache la pâte qui est en trop
à l'aide du couteau.

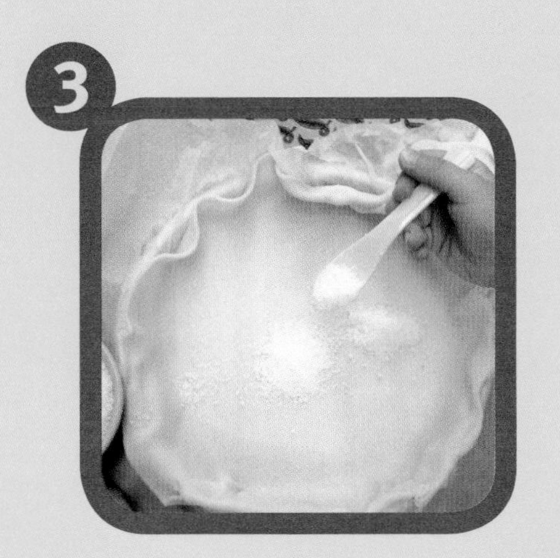

Saupoudre de parmesan râpé.

Coupe les courgettes en fines rondelles.

Conseil :
délicieux froid
ou chaud.

Dépose les rondelles en commençant
par le milieu puis tout autour comme une fleur
et ses pétales. Tu peux mettre deux couches
de courgettes.

Ajoute le romarin et fais cuire au four à 160 °C
pendant 20 min environ.

Tartelettes aux mûres

Ingrédients

- 1 pâte brisée
- 1 sachet de sucre vanillé
- 1 bol de mûres
- 3 ou 4 c. à s. de sucre en poudre

Matériel

- 4 moules à tartelette
- 1 couteau

Les mûres se cueillent dans les bois ou à l'orée des prés de la mi-août à la fin août. Ce sont des fruits un peu acides, juteux, de couleur violet foncé et qui ressemblent par leur forme à leurs cousines les framboises. Tu dégusteras les mûres, nature avec un peu de sucre, en confiture, en compote ou en tarte. À toi de jouer...

1. 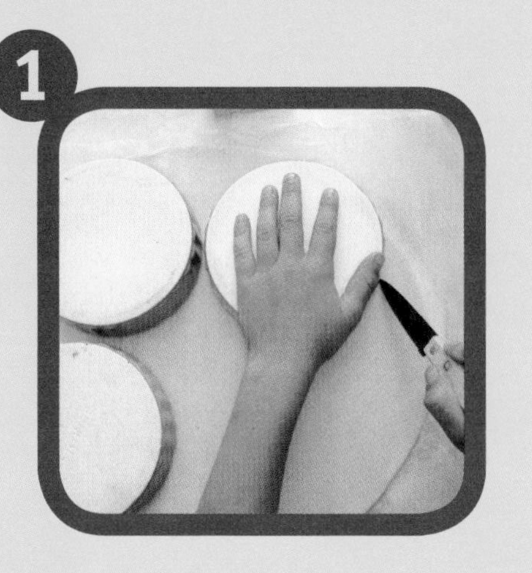

Étale la pâte et dispose à l'envers les quatre moules. Découpe tout autour des moules à l'aide du couteau.

2. 

Détache les disques de pâte et mets-les dans le fond des moules.

Saupoudre de sucre vanillé.

Place les mûres bien serrées les unes à côté des autres.

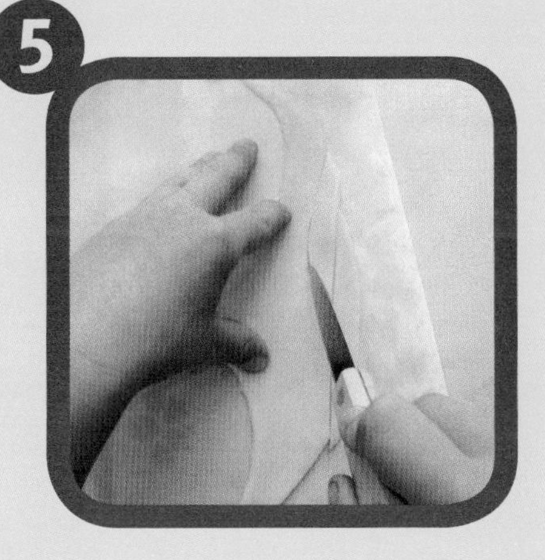

Découpe des bandelettes dans le reste de la pâte.

Astuce !
Déguste tiède avec du yaourt bulgare ou doux.

Dépose-les d'abord de façon verticale puis horizontale de manière à faire des croisillons. Saupoudre de sucre et fais cuire au four à 160 °C pendant 20 min.

Conseil :
attention, les mûres tachent, et cela ne part plus !

LES ATELIERS DE L'ÉTÉ

Drapeaux du 14 Juillet

Ingrédients

- 1 barquette de groseilles
- 1 barquette de myrtilles
- 1 paquet de petits-beurre
- 1 bombe de crème Chantilly

Un petit dessert au goût du jour et qui utilise les fruits de saison. La groseille acide se mélange à la douceur des myrtilles, le tout relevé par une crème Chantilly bien fraîche sur un biscuit croquant.

1

Égrène les groseilles et les myrtilles.

2

Dispose les fruits de façon verticale sur les petits-beurre en commençant par les fruits bleus.

3

Ajoute les fruits rouges, en laissant une bande au milieu pour la crème Chantilly.

4

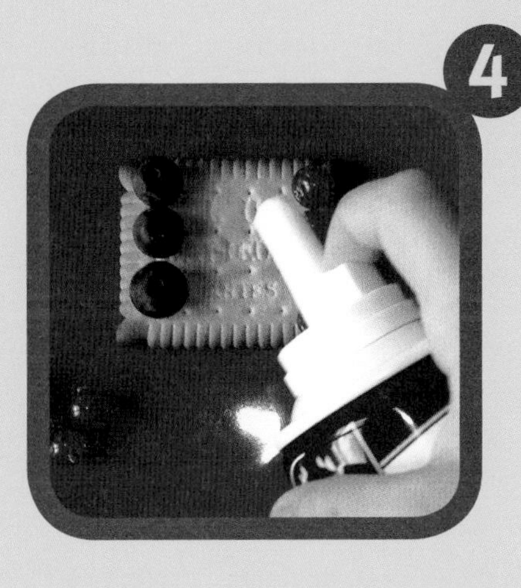

Ajoute délicatement la crème Chantilly.

Conseil : prépare tes drapeaux à la dernière minute pour que la crème reste fraîche. Utilise des baies de cassis à défaut de myrtilles.

Coquillages au chocolat

UN PEU DE NOSTALGIE DES VACANCES À LA MER... AVEC LES COQUILLAGES QUE TU AURAS RAPPORTÉS, FAIS-TOI PLAISIR EN LES REMPLISSANT DE NOUGATINE, DE CHOCOLAT BLANC, NOIR OU AU LAIT AFIN QU'ILS PUISSENT FONDRE ET SE MÉLANGER. À LÉCHER ET À S'EN METTRE PARTOUT AVEC GRAND PLAISIR !

Ingrédients

- Carrés de chocolat blanc
- Carrés de chocolat au lait
- Carrés de chocolat noir
- Nougatine en poudre

Matériel

- 1 plat à four
- Papier d'aluminium
- Coquillages de différentes formes
- 1 petite râpe

1

Chemise le plat avec du papier d'aluminium.

Attention !
Rince les coquillages plusieurs fois avant de les utiliser.

2 Dépose les coquillages en les calant pour qu'ils ne se renversent pas.

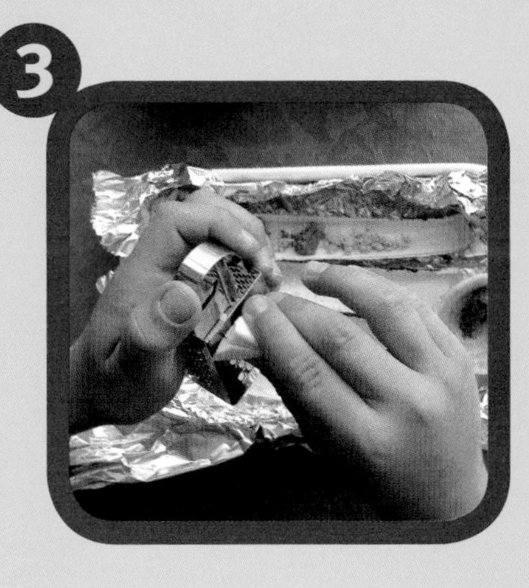

3 Râpe un peu de chocolat blanc.

4 Ajoute des morceaux de chocolat au lait puis de chocolat noir.

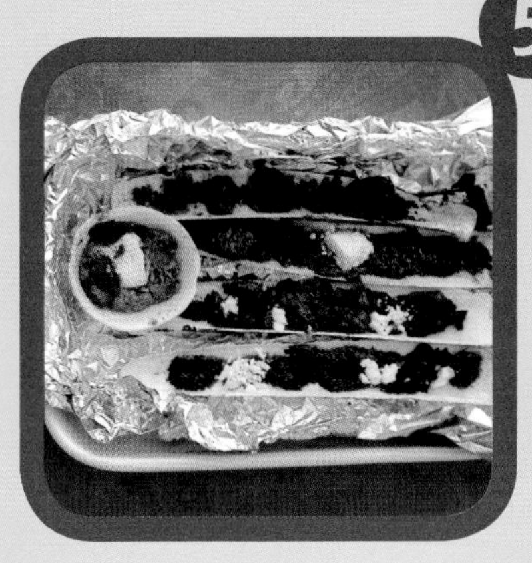

5 Ajoute un peu de nougatine en poudre et fais cuire au four à 160 °C pendant 10 min. Attends que les coquillages refroidissent pour les lécher.

Phare des pirates

ATTENTION, C'EST LA NUIT, UNE BOUGIE ILLUMINE LE PHARE DES PIRATES. LES PIRATES SONT LÀ, LE CHEF TOUT EN HAUT, GUETTANT AVEC PATIENCE L'HORIZON... QUE VA-T-IL SE PASSER ? À TOI D'IMAGINER LA SUITE DE L'HISTOIRE.

Ingrédients

- 200G DE CHOCOLAT
- 120G DE BEURRE
- 4 ŒUFS
- 350G DE SUCRE EN POUDRE
- 100G DE FARINE
- 100G DE POUDRE DE NOISETTES
- FIGURINES DE PIRATES EN SUCRE (DANS TOUTES LES GRANDES SURFACES)
- SMARTIES
- 2 CARRÉS DE CHOCOLAT

Matériel

- 1 GRANDE CASSEROLE
- 1 CUILLÈRE EN BOIS
- 1 MOULE
- 1 PLANCHE À DÉCOUPER
- 1 GRAND COUTEAU
- 1 GRAND PLAT
- 1 BOUGIE CHAUFFE-PLAT
- 1 PETIT DRAPEAU À CONFECTIONNER AVEC 1 CURE-DENTS ET DU PAPIER

1

Mets le chocolat cassé en morceaux dans la casserole et ajoute le beurre.

2

Fais fondre doucement sur
feu doux tout
en mélangeant avec
la cuillère puis enlève du feu.

3

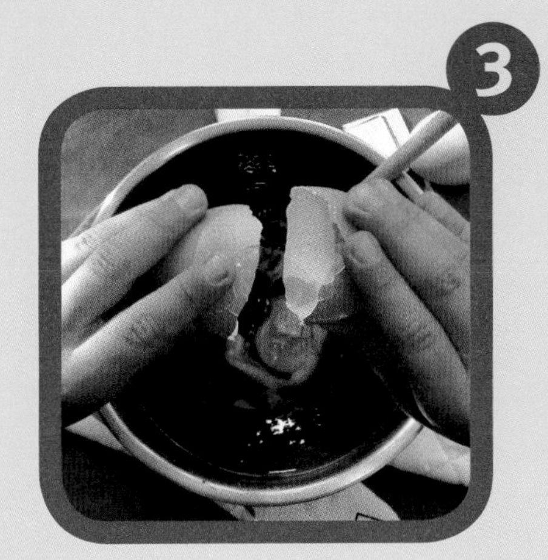

Casse un à un
les œufs
et mélange bien.

4

Ajoute le sucre puis la farine
tout en mélangeant.

5

Ajoute la poudre
de noisettes. Mélange bien pour
obtenir une pâte homogène.

6

Verse le tout dans le moule
et fais cuire au four à 180 °C
pendant 25 min.

7

Démoule sur la planche et laisse refroidir.
Découpe en morceaux comme sur la photo
puis empile-les sur le plat et décore
avec les pirates, la bougie...

LES ATELIERS DE L'ÉTÉ

Brochettes sucrées

Ingrédients

- Miel liquide
- 1 barquette de fraises
- 50 g de noix de coco râpée
- Quelques feuilles de menthe
- 1 sachet de marshmallows
- 1 grappe de raisin noir

Matériel

- 2 assiettes
- 1 cuillère
- Piques à brochettes

Les brochettes de fruits, c'est classique ! Tu vas les améliorer en les trempant dans du miel puis dans de la noix de coco. Le marshmallow coco, c'est trop cool ou trop bon ?

1

Mets du miel dans une assiette à l'aide de la cuillère. Fais-y rouler une fraise.

Variante : tu peux bien sûr utiliser d'autres fruits et d'autres bonbons. Par exemple : fraises Tagada et framboises fraîches, réglisse et abricots...

2

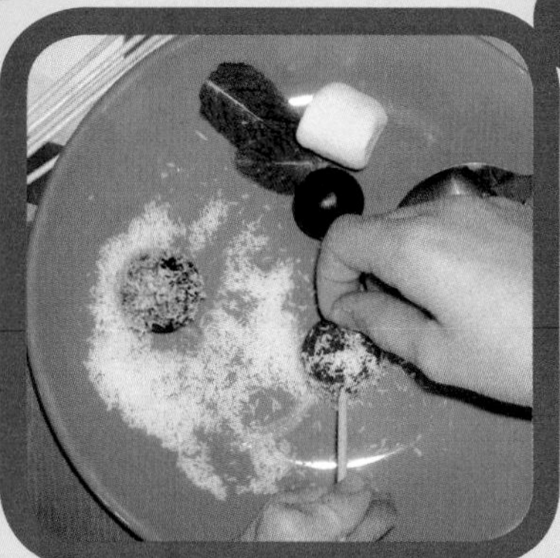

Roule ensuite la fraise dans la noix de coco.

3

Enfile la fraise sur une pique.

4

Ajoute 1 feuille
de menthe
et 1 marshmallow.

Conseil : recouvre bien le miel de noix de coco pour que cela ne colle pas trop.

5

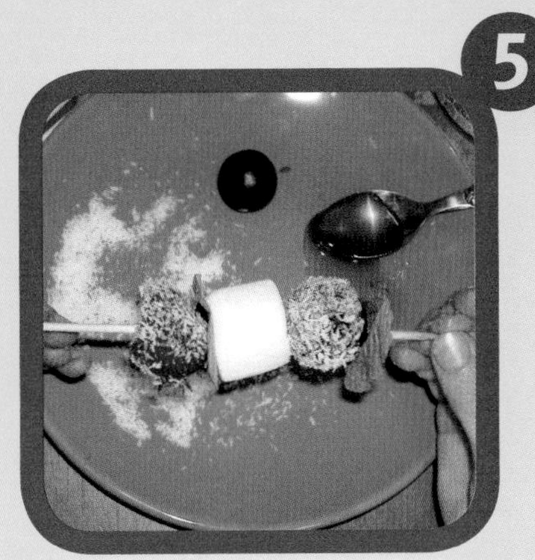

Ajoute 1 grain de raisin
à la noix de coco
et encore de la menthe.
Continue selon ton
inspiration, marshmallow
coco, fraise, raisin,
menthe...

LES ATELIERS DE L'ÉTÉ

Palmiers salés

AMUSE-TOI À TE TRANSFORMER EN PETIT TRAITEUR AVEC CES DÉLICIEUX PALMIERS FEUILLETÉS AUX TOMATES, AUX ANCHOIS ET AU FROMAGE RÂPÉ. TU POURRAS LES PRÉPARER POUR UN APÉRITIF DE GRANDES PERSONNES OU POUR EMPORTER EN PIQUE-NIQUE.

Ingrédients

- 1 PÂTE FEUILLETÉE
- 1 TUBE DE CONCENTRÉ DE TOMATE
- 1 TUBE DE CRÈME D'ANCHOIS
- 1 PETIT SACHET DE FROMAGE RÂPÉ
- 120 G DE PETITES TOMATES SÉCHÉES

Matériel

- 1 CUILLÈRE
- 1 COUTEAU
- 1 PLAQUE À FOUR
- 1 FEUILLE DE PAPIER SULFURISÉ

Conseil : fais attention en roulant la pâte à ne pas trop l'aplatir. Coupe les tomates en morceaux si elles sont trop grosses.

Déroule la pâte feuilletée
et verse le concentré de tomate
puis la crème d'anchois dessus.

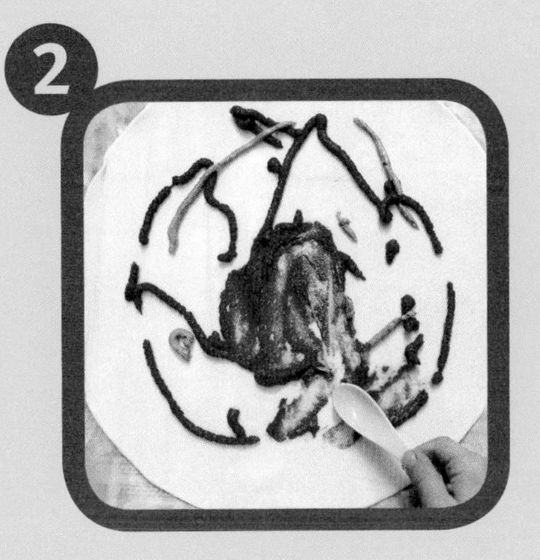

Étale le tout avec le dos de la cuillère
en mélangeant le concentré de tomate
et la crème d'anchois.

Ajoute le fromage râpé et les tomates séchées.

Roule doucement jusqu'au milieu
un des bords de la pâte en serrant un peu.

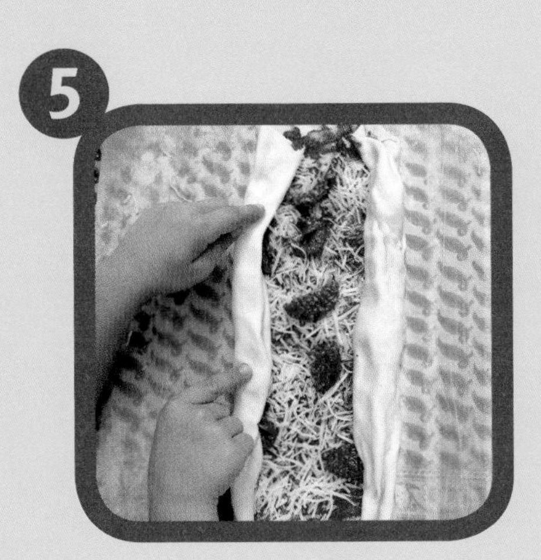

Fais la même chose avec l'autre bout
et va jusqu'au milieu pour que les deux
extrémités se rejoignent.

Coupe des petites tranches, dépose-les sur
la plaque à four recouverte du papier sulfurisé
et fais cuire au four à 160 °C pendant 20 min.

Truffes de chèvre aux épices

Ingrédients

- 1 BÛCHE DE CHÈVRE
- CURRY
- SÉSAME
- PAPRIKA
- CIBOULETTE

Matériel

- 1 COUTEAU
- 1 PLANCHE À DÉCOUPER

À AJOUTER DANS TON PANIER DE PIQUE-NIQUE CAR CELA CHANGE DES PETITS FROMAGES FONDUS... TU LES TRANSPORTERAS DANS DES BOÎTES DIFFÉRENTES AFIN DE NE PAS MÉLANGER LES SAVEURS, OU TU METTRA LES TRUFFES DANS DES CAISSETTES À PETITS-FOURS.

Couper le chèvre
en rondelles
sur la planche.

Fais des boulettes
en les roulant
dans la paume
des mains.

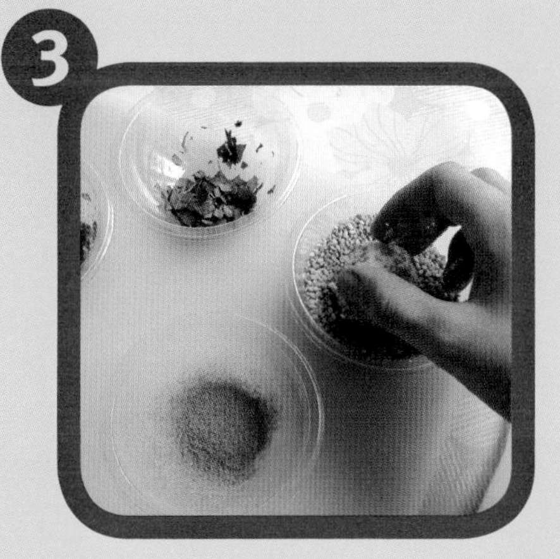

Roule-les dans
la ciboulette
et dans
les différentes
épices, curry,
sésame, paprika.

Astuce !
Varie les épices, utilise de la cardamome, des graines de pavot, du colombo, du piment doux, du sel de céleri, du fenouil en poudre, du persil, de la coriandre.

Pizzas fleurs

CES PETITES PIZZAS, FACILES À TRANSPORTER ET À TENIR EN MAIN, SONT PARFAITES POUR UN PIQUE-NIQUE D'ÉTÉ. TU LES DÉGUSTERAS TIÈDES OU FROIDES ET TU POURRAS ÉGALEMENT Y RAJOUTER CE QUE TU AIMES. REGARDE NOTRE LISTE QUI TE DONNERA PEUT-ÊTRE DES IDÉES...

Ingrédients

- 1 PÂTE À PIZZA
- DES PETITES TOMATES EN GRAPPE OU DES MINITOMATES
- 1 BRIQUE DE CHÈVRE FRAIS
- THYM
- HUILE D'OLIVE VIERGE

Matériel

- 1 COUTEAU
- 1 PLAQUE À FOUR
- 1 FEUILLE DE PAPIER SULFURISÉ

PETITE LISTE DE PRODUITS
Olives
Cornichons
Jambon cru ou cuit
Chorizo
Lardons
Gruyère râpé
Lamelles de courgette
Crème d'anchois
Petits oignons
Poivrons...

1

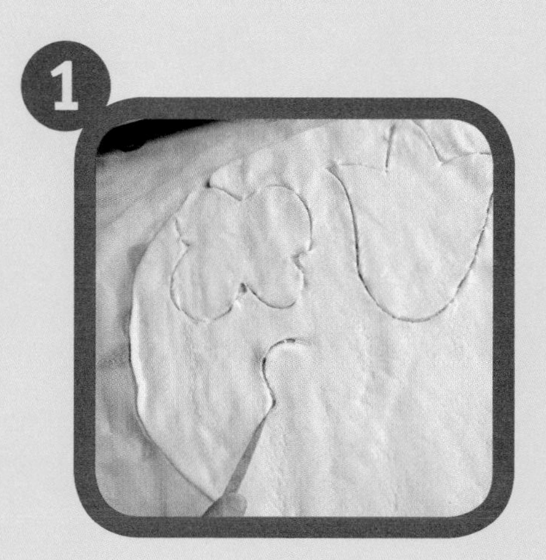

Déroule la pâte à pizza et dessine
avec la pointe du couteau des formes de fleurs.

2

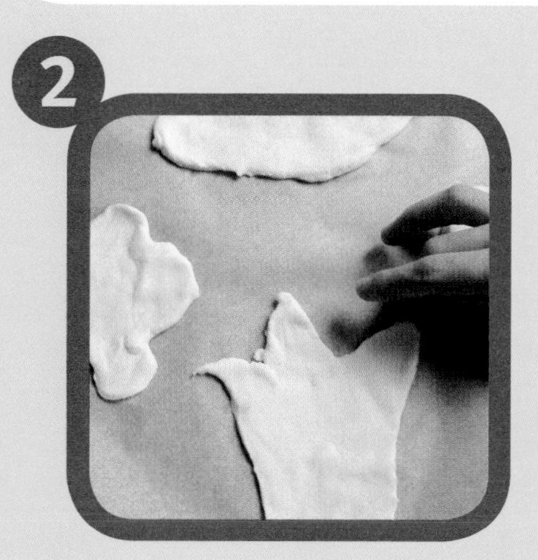

Découpe et détache les fleurs puis dépose-les
délicatement sur la plaque à four
recouverte du papier sulfurisé.

3

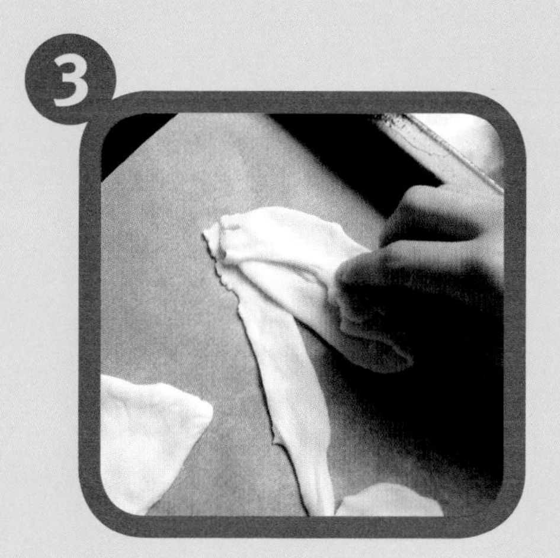

Rectifie la ou les formes avec les doigts.

4

Découpe les petites tomates en deux et
la brique de chèvre frais en rondelles puis
dépose les ingrédients sur la pâte en essayant
de former des pétales.

5

Ajoute un peu de thym
puis un peu d'huile d'olive.

6

Fais cuire au four à 180 °C
pendant une vingtaine de minutes.

Remerciements

Un vrai grand merci à mes trois paires de petites mains, Hugo, Edgar et Basile.
Merci aussi à Juliette, Virgile et Edouard.

Merci à Laurence Le Crocq
pour les jolies toiles colorées « Fleur de Soleil »
www.fleurdesoleil.fr
ou 263, rue Lecourbe, 75015 Paris